ポジティブ姿勢とネガティブ姿勢

リハビリのプロが明かす、人生が変わる姿勢の直しかた

理学療法士
奥村 亮

Clover
クローバー出版

ポジティブ姿勢とネガティブ姿勢

リハビリのプロが明かす、人生が変わる姿勢の直しかた

プロローグ

①姿勢がどうして大事なのか、プロから直接学びたい。
②どうやって姿勢を良くしたらよいか分からない。
③今よりレベルの高い姿勢や健康を手に入れたい。
④姿勢や心構えを変えることで、幸せと豊かさを引き寄せたい。
⑤100歳になっても走れるレベルの姿勢と健康体を手にしたい。

この中で1つでも当てはまるものがあれば、本書はまさに、あなたのための本です。
そんなあなたのような人に、
【姿勢を良くし、豊かにもなる】というメッセージを届けたい。これが、本書の要点です。

私が理学療法士というリハビリのプロとして社会に出てから10年間、下は0歳から、上は104歳の方まで、様々な容態の方々の姿勢改善に、累計2万件以上携わってきました。

しかし、初めから上手くいったわけではありません。

ここで私の経歴を少しお話します。

私は幼い頃から、極度の不安症で、幼稚園の先生の服の裾を握りしめ、

「靴を一緒に履いてくれる？」

とお願いするような、甘えん坊で泣き虫な子供でした。そして、小、中、高校と、姉と比べ勉強ができなかったために、自分に対して強いコンプレックスを持っていました。

なんと、理学療法士の道に進もうと思ったきっかけも、母親に勧められた上、作業療法士の道に進んでいた姉に肩を並べたいという想いがあったからなのです。

しかし、もう一つの想いもありました。それは、私の子供時代、母方のおじいち

ゃんが病気で、お母さんの悲しむ顔を見て、

『自分がおじいちゃんを助けてあげたい』

『お母さんを笑顔にしてあげたい』

そのように想ったことが、すべての始まりでした。

リハビリの専門学校を卒業し、理学療法士になったものの、最初は人の姿勢や身体を良くするどころか、自分の姿勢すら崩れっぱなしで、うまくリハビリできませんでした。そんな自分が情けなくて、涙したことも何度もありました。

そして、日々の臨床の中で痛感したことは、**「責任」**という言葉でした。

「この患者様には、担当である自分しかいないのだ。世の中には凄腕の先生がたくさんいるだろうに、この患者様には、自分しかいないのだ」

この責任によって、甘えん坊で、勉強嫌いで、姿勢もすごく悪かった自分が、少しずつ本を読み、勉強会で学び、学んだ事を実践していきました。

患者様の姿勢を良くするためには、まずは、自分の姿勢が良くなければと、自分の姿勢を改善し続け、ネガティブになってしまっている患者様のやる気を引き出すには、まずは自分がポジティブでなければならないと、世界で1番のモチベーションコーチにも教えを仰ぎ、

『どうしたら、目の前の人をもっと良くできるのか？』

という問いに対する答えを求めて、奮闘し続けてきました。そして、気付けば、累計2万件以上の姿勢改善に携わるようになる中で、ある一つの答えに行き着きました。その答えは、ある患者様の一言の中に隠れていました。

「運動しなきゃね……でも、関節が痛くて……」

というセリフです。

実際このような人は本当に多く、姿勢が崩れており、崩れた姿勢の中で、頑張って運動をしようとしていたのです。ですが、姿勢が悪く、負担のかかっている関節が痛むため、運動がなかなかできない……。

そのような状態に陥っていました。そんな中、**筋トレを積極的に行うのではなく、いかに姿勢を改善するかということにフォーカスし、リハビリを行っていくと、痛みがなくなり、足や腕が軽くなり、姿勢が良くなったことで運動もしやすくなったのです。更に、姿勢が変わった結果、心のストレスからも解放され、その人らしい輝きを取り戻していったのです!**

しかもこの現象は、誰にでも適用できるものであると気付きました。

そして世の中の姿勢の大事さにまだ気付けていない、もしくは気付いているけれど、どう姿勢を良くしていったらよいかわからない……そんな方に対して、姿勢の教科書になるような本が作れないだろうか……。そんな想いから本書が作られました。

姿勢を良くする。このシンプルなアプローチによって、なかなか治らなかった人に変化を起こしていけることに気付き始めていったのです。更に、姿勢を治すことが、その方の精神面や生き方においても、どのくらい大きなインパクトをもたらすかも痛感しました。

【姿勢が変われば、あなたの人生は変わります】

これが、本書を通して私があなたに伝えたいメッセージであり、

姿勢が崩れて苦しんでいるあなたを、

【一瞬であなた史上最高の姿勢と豊かさを引き寄せる】

という目的地に向かって連れて行きます。

あなたの心から得たい豊かさが、

①充分なお金であろうと、

②幸せな人間関係であろうと、

③人生を充実させる健康体であろうと、

④自分の限界を突破する成長であろうと、

⑤多くの人や物事に貢献することであろうと、

それらすべてであろうと、

その鍵は、すべて同じ、

【あなたの姿勢次第なのです】

あなたの姿勢が真の意味で良くなった時、あなたの足かせになっていた心身のストレスからあなたは解放され、あなたが本当に心から求めていた豊かさを手にすることができます。

『姿勢を変えただけで豊かになれるなんて、そんな事あるわけない！』

もし、そう思われるのだとしたら、あなたの姿勢に対する概念を変え、本来のあなたの豊かさを取り戻すためにも、本書を充分に活用して下さい。私があなたに実際に会えるまでは、この本が、あなたの姿勢をサポートする最大のパートナーとなることをここに約束します。

今回は、あなたの日常に役に立つ、12個の姿勢の秘密を紹介していきながら、**「姿勢ってどうして大事？」**というシンプルな疑問にいろんな角度から答えていこうと思います。

本書では、まずは秘密①である【考え方編】として、

レベルⅠ【すべての根本であり基本である姿勢が、健康面、精神面、経済面、生

き方に及ぼす影響】

や、姿勢がどうして大事かという一番大切な考え方について述べていきます。

そして、②【態度】、③【行動ルール】、④【実践】の各編によって、

レベルⅡ【あなたの姿勢が良くなる習慣とその重要性】

に触れていきます。

更に、⑤【伝達】、⑥【管理】、⑦【環境】編によって、

レベルⅢ【あなただけでなくあなたの周りの人にまで、姿勢が良くなる好循環を起こせる】

ようになります。最後に、上級者向けの応用編として、⑧【進化】、⑨【応用】、⑩【お金】、⑪【介護】、⑫【育成】の各編によって、

レベルⅣ【日常生活の中でどのように姿勢を良くしながら望み通りの結果を得ていくか】

について、ケースバイケースで事例を踏まえて紹介していきます。

それではぜひお付き合いください。

目次

ポジティブ姿勢とネガティブ姿勢

リハビリのプロが明かす、人生が変わる姿勢の直しかた

CONTENTS

プロローグ …… 005

姿勢の秘密 ①
【考え方編】

◉ 運動の前に、姿勢は大丈夫？ …… 020
◉ 姿勢を良くするだけで、こんなに違う！　良い姿勢の6つの効能 …… 026
◉ 姿勢についての考え方を変え、健康を高めていく …… 031

姿勢の秘密 ②
【態度編】

◉ 態度と姿勢の切っても切れない関係と、姿勢を良くする3つの態度 …… 037
◉ 効果100倍の「自分は姿勢のマスターだ」という態度 …… 043
◉ 姿勢の良い人に共通する7つの態度 …… 047

姿勢の秘密③

【行動ルール編】

◎みるみる姿勢が良くなる魔法の6つの行動ルールとは？……053
◎効果倍増する姿勢のプロデュース的な視点とは？……057
◎ルールを守る習慣があなたの良い姿勢と健康を作る……062

姿勢の秘密④

【実践編】

◎すぐに姿勢が良くなる3つの調整法……067
◎姿勢を生まれ変わらせる4つの方法……073
◎ここまでのまとめ・復習クイズ レベル1……076
ほっと一息コラム❶ スイーツ編……079

姿勢の秘密⑤

【伝達編】

⦿ 人に教えるほど、自分の姿勢は良くなる……080
⦿ 自分だけでなく、周りの人の姿勢も良くする……086
⦿ 姿勢がどんどん良くなるセルフイメージを鍛える……090

姿勢の秘密⑥

【管理編】

⦿ 姿勢が良くないな……関節が痛いな……と感じたときは……096
⦿ 簡単管理！　5つの姿勢調整法……100
⦿ あなたの姿勢はすぐに戻せる！　管理に重要な3つのコツ……106

姿勢の秘密⑦

【環境編】

◎姿勢を良くしていく環境を作る……112
◎姿勢を良くする5つのツール、手段の紹介……117
◎ここまでのまとめ・復習クイズ　レベル2……122
ほっと一息コラム②　TVドラマ編……124

姿勢の秘密⑧

【進化編】

◎あなたの姿勢はどこまでも進化する（拭い去るべき4つの幻想）……125
◎今よりも身体が軽くなる未来がある（姿勢を良くする3ステップ）……131
◎成長、進化のサイクルを回す（進化を楽しむ4つのアイディア）……136

姿勢の秘密⑨

【応用編】

◉姿勢の世界は量ではなく質の世界……140
◉いろんな状況で役に立つ良い姿勢17の利点……145
◉良い姿勢があなたをケガや病気から守る！　6つの効能……151

姿勢の秘密⑩

【お金編】

◉良い姿勢がお金を引き寄せる3つの理由……156
◉相手に喜びを与える姿勢……161
◉仕事に対する姿勢の効力……164

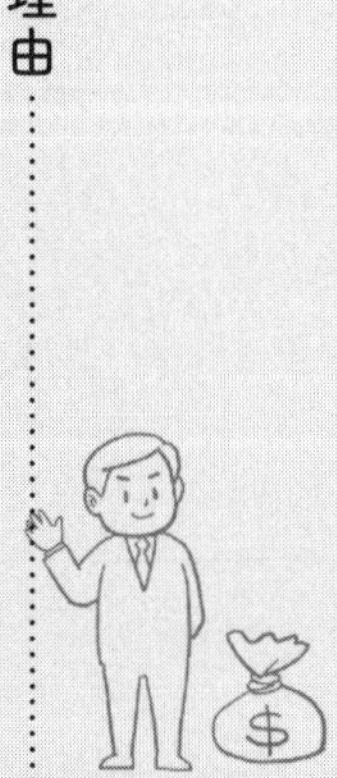

姿勢の秘密⑪

【介護編】

◉楽々介護の3ステップと6つの特徴……169
◉介護上手の3つの共通点と7つの秘策……174

姿勢の秘密⑫

【育成編】

◉子供の姿勢を良くする5つの秘訣……182
◉ここまでのまとめ・復習クイズ レベル3……186
ほっと一息コラム③ 外食編……188
エピローグ――あなたの姿勢はどこからだって変えられる……189

姿勢の秘密①

【考え方編】

運動の前に、姿勢は大丈夫？

この本の内容を一言でまとめると、「運動の前に、姿勢は大丈夫？」という投げかけになります。

「そうは言っても姿勢というのは、なかなか良くならないよね？」

と思っているとしたら、それは大きな間違いで、

実は姿勢というのは、一瞬にして良くすることができるのです。

これは、今まで私が、10年で2万件以上の0歳から104歳の老若男女の姿勢を良くしてきたことから辿り着いた1つの事実です。

「え？　それはウソだよ。だって、背筋をピンと伸ばしても、すぐに元に戻っちゃうもん」

それは、姿勢のメカニズムがわかっていないので起こってしまう現象なんですね。つまり、コツがいるということです。

例えば、今、椅子に座っているとしたら、座ったままで、骨盤を前に起こしてみてください。

「骨盤？　こうか？……あ、なんか背筋も起きてきた」

そう、この土台である骨盤が後ろに傾いている状態で、いくら背筋だけピンと伸ばそうとしても、少し無理があるのですね。

実は、こうした姿勢のコツというものが、人体には無数に存在しています。それを、大きく12の姿勢の秘密として、あなたに紹介していきます。この本を読み終わる頃には、自然と姿勢も良くなり、姿勢の重要性を人に教えられるほどになっているでしょう。

さて、実はここで、大事な実験を1つ行いました。

「実験って何？」

それは、姿勢が一瞬にして良くなるという経験をすることで、

「本当だ。姿勢って、意外とすぐに良くなるんだ」

という考え方に変えることです。

そう、最初にこの考え方を変えない限り、いつまで経っても、

「そうは言っても、姿勢は簡単には良くならないでしょ？」

という悪魔の囁きに引っかかってしまうのです。

「姿勢って、実は思っていたよりもすぐに良くなるし、良い姿勢で運動をすれば、更にいいことずくめ♪」

こんなふうに思えたら、しめたものですね。

そしてもう1つ、考え方としてお伝えしたいのが、姿勢が良くなってどんな自分になりたいのか？　姿勢が良くなって何がしたいのか？　なぜ、姿勢が良くなりたいのか？　そのような姿勢を良くする目的、理由です。

「そりゃあ健康になるため……」

なるほど。では、なぜ健康になりたいのですか？

「え？　なぜ健康になりたいのか？……急に聞かれてもわからない……」

そうですね。いきなり質問責めにしてしまって申し訳ありません。ですが実は、多くの人が、それはなぜか？　と目的を2～3回深掘りされて聞かれると、わからなくなってしまうということなのです。目的が曖昧なまま、いかなる姿勢や健康のノウハウを試したとしても、身につく可能性は低くなります。

それは、心がそれを求めていないからです。

「いや、そんなことはない！　私はなんとしても姿勢を良くしたいと思っているし、健康でいたいと思っている！」

このように、強い感情が湧き上がるほど健康になりたい！　と思えたら、モチベーションが上がり、姿勢はどんどん良くなっていきます。

ぜひ、これからは何度も自分に問い正してみてください。

なぜ私はこのノウハウを実践するのか？

そもそも、なぜ私はこの本を読むのか？

それが明確になればなるほど、あなたの姿勢にものすごい効果がもたらされます。

さて、準備が整ったら、次は、あなたが左脳優位姿勢タイプか右脳優位姿勢タイプかを診断していきます。

左脳優位姿勢タイプと右脳優位姿勢タイプって何?

これは私が作った造語です。

左脳優位姿勢タイプとは、「自分は姿勢が良いほうで、特に問題ない!」と思っているが、実は姿勢が崩れているタイプのこと。

右脳優位姿勢タイプとは、「自分は姿勢が悪い」と思い込んでいるタイプのこと。

つまり、あなたがどちらのタイプかによって、アプローチを変えていく必要があるのです。

あなたが左脳優位姿勢タイプなら、自分は姿勢が良いと思っている! と気持ちの面で前向きなので、心の姿勢はプラスです。しかし、本当は身体の姿勢が崩れているので、時に痛みが出たり、身体が重く感じられ、不思議に思います。

逆に、右脳優位姿勢タイプの場合、「自分は姿勢が悪い」と思い込んでいるので、気持ちの面でマイナスになっています。しかし、意外とこのタイプは、自分は姿勢が悪いわけじゃないと、考え方を変えていくだけで、驚くほど早く姿勢が改善することが多いのです。

このタイプは、気持ちは落ち込みやすいのですが、実際の身体の姿勢はそこまで崩れていない方が多いのです。

さあ、あなたはどちらのタイプでしょうか？

ここでは、冒頭なので、それぞれのタイプに対し、ワンポイントアドバイスを行います。

左脳優位姿勢タイプの方は、今まで自分が興味がなかった内容に目を向けてください。そうするとうまくいきやすいでしょう。

右脳優位姿勢タイプの方は、自分が想像以上にできているという面にフォーカスしてください。そうすると、やはりうまくいきやすいと思います。

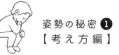

姿勢を良くするだけで、こんなに違う！ 良い姿勢の6つの効能

では、ここからは、良い姿勢の6つの効能について紹介していきます。この6つが手に入ると気付くだけで、一気に姿勢に対する意識が高まります！

効能①：この人生100年時代に、長生きの土台ができて、病気にかかりにくく、ケガをしにくくなる。
効能②：外見はもちろん、内面までもが魅力的になり、周囲の人にモテる。
効能③：子供のときのような軽い身体が手に入り、圧倒的に疲れにくくなる。
効能④：不平不満が浮かびにくくなり、感謝の気持ちや幸せの絶対量が劇的に上がる。
効能⑤：あなたの良い姿勢が周囲の人に良い影響を与え、周囲の人への貢献となる。
効能⑥：姿勢が良くなると、心身が最高の状態となり、仕事のパフォーマンスが上

がり、高収入につながる。

では、1つずつ見ていきましょう。

効能① この人生100年時代に、長生きの土台ができて、病気にかかりにくく、ケガをしにくくなる。

これは、考えてみるとよくわかるのですが、良い姿勢というのは、重力に対して、ピンと姿勢が天井に向かって伸びているということです。つまり、筋肉の力によって、その姿勢を支えているわけですね。

姿勢を良くしていると、身体の深部にある筋肉が働きやすくなります。この筋肉のことをインナーマッスルと呼びます。

インナーマッスルというのは、無意識に働くことが多く、しかも持久力があります。インナーマッスルがしっかりと働いている人は、免疫力も高く、風邪も引きにくく、転ぶことも少なく、もし転んだとしても、大きなケガをしません。

良い姿勢というのは、人間が生活していく上での最初の構えであり、出発点です。姿勢が良くなるだけで驚くほどの健康体を手にできるでしょう。

効能②　外見はもちろん、内面までもが魅力的になり、周囲の人にモテる。

姿勢の良い人が魅力的に見えるというのは、イメージしやすいと思います。良い姿勢からは、その人自身のエネルギーや自信のようなものが伝わってきます。そして、実は良い姿勢というのは、その人の内面、つまり健全な精神を作ります。

よく例え話に使われるのが、「笑顔でスキップしながら落ち込むことはできない」というものがあります。実際に試したことのない方はぜひ試してみてください。とても落ち込んでなどいられない気分になってしまいます。

このように、良い姿勢とは、外面の魅力を高めるだけでなく、内面の気分をもポジティブに変えてしまうパワーがあるのです。

効能③　子供のときのような軽い身体が手に入り、圧倒的に疲れにくくなる。

この子供のときのような軽い身体というのは、身体を動かす面倒くささなど、みじんも考えることもないような、動くことが楽しくなるような、軽い身体のことです。

良い姿勢とは、そんな身体を取り戻すことなのです。

当然身体は疲れにくく、疲労も溜め込みにくくなります。睡眠の質も上がり、夜もぐっすり寝られます。身体が軽くなるとフットワークが軽くなるため、以前はやらなかったスポーツやアクティビティなどにも積極的に参加したくなるかもしれません。

効能④ 不平不満が浮かびにくくなり、感謝の気持ちや幸せの絶対量が劇的に上がる。

これは、お寺で姿勢良く座禅を組んでいるのをイメージしていただくとよくわかると思うのですが、姿勢良く深呼吸をすると、心も落ち着き、感謝の気持ちや幸せの気持ちといった、ポジティブな感情が湧き上がってきます。姿勢が悪いと気分も落ち込みやすくなり、逆に姿勢が良くなると精神的にもポジティブになれるのです。

効能⑤ あなたの良い姿勢が周囲の人に良い影響を与え、周囲の人への貢献となる。

人の脳には、ミラーニューロンという、側にいる人の物真似を行う神経細胞が存在していますので、あなたの姿勢が良くなるだけで、あなたの周囲の人の姿勢も良くなりやすくなります。あなたの姿勢が良くなると、あなただけではなく、周りの人にも良い影響が及ぶということを覚えておいてください。

効能⑥ 姿勢が良くなると、心身が最高の状態となり、仕事のパフォーマンスが上がり、高収入につながる。

ここであなたの過去を思い起こしてほしいのですが、あなたが今までに、仕事で最高のパフォーマンスだった！　と言えたとき、あなたはどんな姿勢をしていたでしょうか？　おそらく、最高のパフォーマンスを出せたときのあなたは、姿勢も良く、目も輝いていたのではないでしょうか？

姿勢が良くなると、精神的にも集中力が増し、心身ともに最高の状態に近づくため、あなたの仕事のパフォーマンスも上がります。高いパフォーマンスの仕事を繰り返していけば、昇進やヘッドハンティングなど、高収入への道が開かれる可能性がグッと高くなります。

姿勢についての考え方を変え、健康を高めていく

多くの人が、運動に対する意識は持っていても、姿勢に対する意識が少ないことで姿勢が崩れ、腰痛であったり、肩こりであったり、様々な痛みに苦しんで、運動どころではなくなっています。

姿勢を良くすることができれば、身体が軽くなって、もっともっと健康になれるのに、もったいない。そのようなケースは非常に多いのです。

「じゃあ、具体的にどうやって姿勢を良くするの？」

その一番のポイントは、やはり考え方です。

ここでは、姿勢が良くなる人の考え方を紹介していきます。


「姿勢というのは、意外とすぐに良くなっていくものだ」

「姿勢というのは、崩れているほうが気持ち悪い」

「今、自分の姿勢がどうなっているか、良くわかる！」

「自分は姿勢が良いし、姿勢が歪んできたとしても、自分で良くしていくことができる！」

「私は姿勢が良くて、疲れにくいし、リラックスするのも得意だ」

「私は年を重ねるほど姿勢について賢くなって、姿勢が悪くなるどころか、どんどん姿勢を良くできるようになる！」


何を始めるにしても、最初にこのような考え方を持っていたとしたら、姿勢が良くなるのはとても早いでしょう。

逆に、なかなか効果の出てこない方の考え方は……。

「姿勢を良くしても、すぐ戻っちゃう」

「長年この姿勢だから、簡単に良くならない」

「面倒くさくて、すぐやめちゃう」

「こういうのは苦手」

といったものです。このように考えてしまうと、うまくいくものもうまくいきません。

少しずつでも良いので、考え方をポジティブに変えていきましょう。


ではここで、息抜きも兼ねて、1つゲームをします。

気軽に遊び感覚でお付き合いください。

ここにもし、姿勢の神様のような人があなたの前に現れたとします。

その神様が言いました。

「おぬしは、おぬしが思っているほど、姿勢は悪くないぞよ」

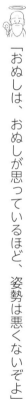

姿勢の神様がこのように言ったら、あなたはどのように感じるでしょうか？

「え？　そんなことない。だって、〇〇だし……」

「そうか。じゃあ、**その〇〇が良くなっていけば**、更におぬしの姿勢は良くなるな！」

「あ……はい。そうですね。〇〇が良くなれば姿勢は良くなりそうな気がします」

実は、多くの方が、この〇〇に気付いていないので、解決できないという悪循環に陥っているのですね。

あなたにとっての〇〇とは、一体なんでしょうか？

「そうか。私は〇〇だから、姿勢が良くなっていなかったんだ」

この〇〇に「気付く」ことこそが、姿勢を良くするにあたって大事なことなのです。

多くの人が、この〇〇に気付いていません。

例えば、

「私は腰が痛いんですよね」

「そうか。それはなぜじゃ？」

「え……わかりません。昨日から痛いんです」

「昨日か一昨日に何かしたか？」

「あ！　そういえば、一昨日、重たい荷物を運びました！」

「腰に負担がかかるほど頑張ったのじゃな」

「そうです。今日は、腰を休めることにします！」

次の日……。

「神様！　神様のおかげで、腰痛が治りました！」

「ワシは何もしとらんがの……笑」

この話は、あなたの姿勢を良くするのは、あなた自身だというお話なのです。

ただし、それには、あなたが痛みや姿勢の崩れに気付き、それがなぜ起こっているかという原因に、あなた自身が気付かなければなりません。

それはもしかしたら、

「そういえばいつもこの姿勢を取っているな」とか、

「あのケガをしてから、ずっとこっちの足に体重をかけているな」とか、

「ついついこういう姿勢で頑張っちゃうんだよな」とか、
いろいろなことが見えてくるかもしれません。

あなたの姿勢がそのような姿勢になった原因を考えてみましょう。そうすることで、その対応策も自然と見えてくるのではないでしょうか。

この【考え方編】の結論は、

「あなたの今の姿勢を作ったのはあなたである」

「あなたの姿勢はあなたが良くしていける」

「しかもそれは、あなたが思っているよりも簡単に」です。

姿勢の秘密 ②
【態度編】

態度と姿勢の切っても切れない関係と、姿勢を良くする3つの態度

態度というのは、心のありようとも言われ、姿勢の良い人とは、態度の良い人とも捉えられます。普段からどんな態度でいるかということが、あなたの姿勢を決定する重要な要素なのです。


「また、だらしないって言われちゃったよ」

「今日もだるいな」

「はぁ、仕事嫌だな。最近嫌なことばっかりだよ」

このような口癖を持っている人がいたとしたら、どうでしょうか？

この人の姿勢は、良い姿勢だと想像できるでしょうか？

逆に、

「礼儀正しいですねって褒められた」

「今日も元気にいこう！」

「仕事でお客様の笑顔を見るのが楽しみだ」

このような口癖を持っている人がいたとしたら、どうでしょうか？

この人の姿勢は、悪い姿勢だと想像できるでしょうか？

できませんね。つまり、心の姿勢が、実際の身体の姿勢をも形作るということなのです。

真の意味で、姿勢をこれからどんどん良くしていこうと思ったら、この態度と言われる心の姿勢と、実際の身体の姿勢の2つを良くしていく必要があるということですね。

また、これは逆も然りであり、身体の姿勢が悪いせいで、態度が良くないと受け取られ、損をしてしまうというケースもあるということです。よって、心の姿勢と身体の姿勢、どちらか苦手なほうに意識的に取り組むことで、より効果を発揮してくるでしょう。

以下は、あえて極端な言い方で表現していますが、あなたはどちらのタイプに近いでしょうか？

心の姿勢の問題（気分が落ち込みやすい）によって、身体の姿勢も悪くなる。

身体の姿勢の問題（良い姿勢を物理的に取れない）によって、気分も落ち込みやすくなる。

▼どんな態度でいるかが姿勢を決定する。

この言葉を覚えておいてください。

じゃあ良い態度とは、どんな態度か？　一言で言うと、

①すべてのことに感謝する

これです。至ってシンプルです。

「そんなことを言われても、すべてのことに感謝なんて、できないよ……」

何も、初めから聖人君子のようになろうとしなくても構いません。

少しずつ、日々の生活の中で起こるいろいろな出来事に対して、感謝の念を膨らませていけば良いのです。

「でも、あの人はあのとき私にひどいことを言ったし、許せない！　感謝なんて到底できない！」

例えば、こんな感情が出てきたら、まずは、自分に対して感謝の念を抱いてください。

▼初めの一歩は、自分自身に対する感謝です。

「自分は良くやっている。いつもありがとう。気分が良くなるまで、ゆっくり休んでね」

このように、自分を大切にすることが、自分に対する感謝の実践です。

「そんな！　毎日忙しいし、ゆっくり休んでなんかいられない！」

そのような想いがあるとしたら、少しずつで結構です。少しずつ、自分に休息の時間を与えてあげてください。

自分に感謝できない人が、周りの人に感謝などできるでしょうか？

自分が満たされた感情になっていないのに、周りの人を満たすのは困難です。

周りで起こることに感謝できないときこそ、自分自身に感謝の念を向けてください。

毎日「ありがとう」と、自分に声に出して言ってみてください。

それだけで実は、身体は元気になってくるのです。

もう1つ大事な態度として、

②素直になる

ということがあります。よく、斜に構えるという言葉を聞きますが、人のことを疑っていたり、素直に意見を聞かないという状態のときは、身体の姿勢も真っ直ぐには向いていません。逆に、素直になればなるほど、相手の目を見て、笑顔で頷くこともできるようになってくるでしょう。この本の内容であれ、誰か他の先生のノウハウであれ、素直に吸収するという態度を取っているでしょうか？

もしそれができているとしたら、あなたは何をするにしても、最速で自分の得たい結果を得ることができるようになるでしょう。それは、あなたの素直な態度が素晴らしいからです。


最後にオマケとして、もう1つ重要な態度をお伝えします。それは、

③好奇心を育てる

これです。最近はどんなことに好奇心を持ったでしょうか？

子供のときは、どんなことをするのが好きでしたか？　夢中になれることは、どんなことでしたか？

自分から進んで何かしたくなる。知りたくなる。どこかへ行きたくなる。こうした、子供のときなら誰もが溢れんばかりに持っていた、自然と湧き上がる好奇心を育てていってください。そのポジティブなエネルギーが、あなたの姿勢をどんどん良くしていくことでしょう。

【結論】姿勢を良くする3つの態度
①すべてのことに感謝する。
②素直になる。
③好奇心を育てる。

この3つの態度を日々、持てるようになっていったら、あなたの姿勢がどうなっていくか、ぜひ想像してみてください。それは、本来のあなたに備わっている生きるエネルギーが湧き上がってくるとても心地よい体験となるでしょう。

効果100倍の「自分は姿勢のマスターだ」という態度

自分は姿勢が悪いという思い込みは、あなたがこれから様々なノウハウを試そうとも、あなたの足かせになってしまいます。逆に、今から自分は姿勢のマスターだ。自分の姿勢はどんどん良くなる！　という態度を形成できれば、いかなる姿勢ノウハウ、運動ノウハウも効果的にあなたの味方になってくれるでしょう。

「私は姿勢のマスターどころか、普通の人より姿勢に自信がありません」

「もっといろいろトレーニングして、姿勢に自信が持てたら、『姿勢のマスターを目指してます！』くらいは言えるかも……」

もし、このようなことを感じるのだとしたら、こう考えてください。

自分は既に姿勢のマスターだ！　という思い込みが、あなたのトレーニング効果を100倍にする！　そうです！　トレーニングやノウハウの効果を100倍にするために、「自分は姿勢のマスターだ！」と自分自身を洗脳してください。

洗脳とは、「脳を洗う」と書きます。「自分は姿勢が悪いし、なかなか良くならない」という誤った思い込みを、脳から洗い流してください！

「そう言われても……私は、ケガ、病気をしてからずっと姿勢が崩れているし、こんな自分のことを姿勢のマスターだなんて、とても思えない」

という気持ちになるとしたら、

「そんな大変なケガや病気をしたのに、ここまで姿勢を保てていることが、実はすごい！」

「ケガや病気をして、もっと姿勢が悪くなってもおかしくなかったのに、今の状態を保てていることが奇跡！」というように、**まずは、ありのままの自分の姿勢を肯定するところからスタートしてください。**


あなたが今、どんな姿勢であろうと、あなたの姿勢は素晴らしいのです。

そんなあなたの素晴らしい姿勢を、もっと良くするためには、何を意識したらよいか？


このように考えていくことが、トレーニング効果を倍増させます。

もし、まだまだ自信が持てないのであれば、

「姿勢の専門家から教わったことを忠実に、素直に実践している」

というところに自信を持つ、ということでも大丈夫です。

自分は姿勢のマスターだから、自分の姿勢にはもちろん、周りで困っている人の

姿勢にもアドバイスすることができる！

そんな姿勢のエキスパートがたくさん増えたら、世の中の人々の健康度はグンと高まります。毎月、身体の痛みなどで病院通いを繰り返している人も、次第に減っていくでしょう。

1つ合言葉を伝授します。まずは、自分が理想とする姿勢をしている人を思い浮かべてください。そして、こう唱えます。

「あの人にできたのだから、私にもできる！」

そう言うと、自分自身にパワーがみなぎります。逆に、

「あの人は特別。あの人だからできたんだ」

と言うと、自分からパワーが抜けていきます。

自分にはできない……という思い込みを強化してしまうからですね。

「自分が姿勢のマスターだ」とか、「どんどん良くなる」など、いかにプラスの思い込みを育てていけるかが、心の姿勢とも言える態度に深く関わってきます。

思い込みを変えれば、姿勢は良くなる。

この言葉を、格言のように覚えておいてください。

姿勢の良い人に共通する7つの態度

ここでは、姿勢の良い人に共通する7つの態度を紹介します。

①自分の姿勢や健康は、自分が管理するという自立心がある。
②自分の良いところや相手の良いところを見つけるのが得意。
③相手の話をよく聞ける（聞き上手）。
④挨拶やお礼をキチンと言う。
⑤困っている人がいたら助ける。
⑥自分の健康や姿勢に自信を持っている。
⑦専門家の知識を取り入れて成長している。

これが、姿勢の良い人に共通する態度です。1つずつ見ていきましょう。

①自分の姿勢や健康は、自分が管理するという自立心がある。

この姿勢はあの病気のせいだとか、あのケガのせいだ、だから自分ではどうしようもない……と考えるのではなく、自分がこれからどうしていけば姿勢が良くなるか、更に健康になるかということを自分で考え、実践し、管理している。

自分以外の何かのせいで、不健康だ、姿勢が崩れている、と思い込めば思い込むほど、自分はそれをどうしようもできない……という無力感に襲われます。そうではなく、自分の力で、これからでも姿勢は良くしていけるし、健康に近づいていける。自分にはそれを管理する力がある。そういった自立心を持つのです。

②自分の良いところや相手の良いところを見つけるのが得意。

これは一見、姿勢とは関係ないのでは？　と思われるかもしれません。しかし、姿勢の良い人というのは、この特徴を持っています。

人間だれしも完璧な人などおらず、それぞれに個性があるように、自分にも得意、不得意があり、良いところもあれば、悪いところもあります。その中で、良い面を見る習慣を持つ。これが、姿勢の良い人は得意です。

自分の良いところや相手の良いところを見つけて伝えるのがうまければうまいほど、あなたの周囲との人間関係や仕事はうまくいきます。気持ちも前向きになり、姿勢もどんどん良くなる循環に入るのです。

③相手の話をよく聞ける（聞き上手）。

②に続いて、これも姿勢と直接関係ないように思うかもしれませんが、非常に重要な特徴です。

相手に対して純粋な好奇心を持って、相手の話を通して相手が何を感じているかを理解する能力に長けています。相手の話をよく聞けるとは、相手も思っていることを伝えられて気持ちの良いものです。

実は、話というのは、話すよりも、しっかりと聞くほうがエネルギーがいります。それはなぜかと言うと、よく話を聞くという行為は、相手の様子や感情に自分を合わせていく行為だからです。姿勢の良い人というのはエネルギーにも満ち溢れており、人の話をしっかり聞くことも得意です。

④挨拶やお礼をキチンと言う。

姿勢と態度とは、切っても切れない関係にあるとお伝えしましたが、態度と礼節にも切っても切れない関係があります。挨拶をする、お礼をきちんと言うといった、礼節の根幹にあるものは感謝です。そうした感謝の念から自然と発される挨拶や「ありがとうございます」というお礼には、自分にも相手にも、とても良い感情を作り出します。姿勢の良い人というのは、挨拶やお礼を欠かすことはありません。

⑤困っている人がいたら助ける。

姿勢の良い人というのはエネルギーに満ち溢れており、困っている人がいたら、すぐさま助けに入ります。それは相手に見返りを求めるためではなく、ただ、助けたいからそうします。人を助けることに喜びを感じる方が非常に多いのです。

そのように人を助けることで、自分に対しての自信も育っていきます。それは姿勢に好循環をもたらします。良い姿勢やエネルギッシュな姿勢というのは、自分の自信の現れでもあり、その状態は、困っている人を助けるパワーにつながります。

⑥自分の健康や姿勢に自信を持っている。

ここで言う自信とは、今まで姿勢や健康に関して、様々な経験や失敗を繰り返してきたことから、どうしたら自分が不健康になるか、どうしたら調子が良くなるかを知っている状態であり、それをコントロールする自信があるという状態です。

そして、成功体験も積み重ねており、そこから、こうしたら自分の姿勢は良くなる、こうしたら自分は健康になる、という知識やノウハウを蓄積しています。それが、自分自身の健康や姿勢に対する自信につながっています。根拠のない自信も大事ですが、根拠のある自信は更に強力です。

⑦専門家の知識を取り入れて成長している。

自分自身にも、姿勢や健康ノウハウなどの蓄積はありますが、しっかりと必要に応じて、その道の専門家からの知識を、本や勉強会や、直にアドバイスをもらうことなどで吸収し、成長しています。

自己流でやろうとすると失敗する確率が高いことを経験上よく知っているので、必要とあらば、専門家にお金や時間を投資し、得たい結果を得ていきます。

さて、この7つの態度の中で、自分にとって、強化していったほうがよい態度はどれでしょうか？

これらの態度は、何度も繰り返して習慣にしていくことで、姿勢に対して、より良い効果を及ぼす基本となる部分です。以前に解説した、姿勢を良くする3つの態度と併せて取り組んでいただけると、姿勢は日に日に良くなっていくでしょう。

姿勢の秘密③【行動ルール編】

みるみる姿勢が良くなる魔法の6つの行動ルールとは？

ルールを決めて実行するというのは素晴らしい方法で、何事もルールを決めておけば、自分を律することができます。それは、良い姿勢を作っていくにあたっても非常に重要です。このルールに従ってさえいれば、姿勢は次第にどんどん良くなっていくという魔法の行動ルール、そうした秘訣を紹介していきます。

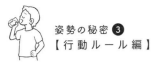

魔法の行動ルール① **立っている姿勢を基本とし、左右対称を意識する。**

多くの人が忘れてしまっているのは、人は立っている姿勢が基本型であるということです。もし、座っている姿勢が悪いということであれば、まずは立ってみてください。そして、左右対称を意識してみてください。そして、ゆっくり座ってみましょう。それだけで、良い姿勢で座れることを実感できるでしょう。

魔法の行動ルール② **自分の姿勢の癖を知る。**

自分の姿勢の癖について、考えてみましょう。例えば、猫背になりやすいとしたら、猫背にならないように、と普段から意識できるようになります。最近右肩が下がっている……ということであれば、どうしたら両肩が左右対称になるのか、考えるきっかけになるでしょう。ぜひ自分の姿勢に興味を持って、自分の姿勢の癖や特徴を掘り下げていってください。

魔法の行動ルール③ **リラックスする時間をしっかり持つ。**

意外と多くの人が知らないのは、リラックスすることの姿勢改善効果です。姿勢が悪い中で無理に姿勢を良くしようとしてやってしまう筋トレや運動などのせいで、あなたの身体はある意味、興奮状態に陥りやすくなっています。その状態では、姿勢を自己修正しづらくなってしまいます。なので、しっかりとリラックスしていくことで、自分の姿勢の癖にも気付きやすくなる上、姿勢の改善も行いやすくなるのです。

魔法の行動ルール④ 水をこまめに飲む。

現代人は、脱水状態になっている人が多いようです。身体というのは、3分の2が水分で構成されていると言われているように、良い姿勢を作っていく上では、水分をこまめに摂る習慣を持つことは非常に重要です。水分がしっかり摂れていると血流も良くなり、筋肉にも柔軟性が出てくるため、姿勢を改善しやすくなり、疲れにくくなります。1日に1・5〜2リットル程度を目安に、少しずつ水分摂取量を増やしていきましょう。

魔法の行動ルール⑤ 目を休める。

現代人は、スマホ中毒と言われるほど、スマートフォンの画面を見る時間が増え、どんどん目を酷使している人が増えています。目は脳の神経細胞に直結しており、何か見ているだけで脳を興奮させます。時折2分程度でよいので、目を瞑り、脳を休ませてあげてください。目を適度に休ませることは、視覚優位な状態から、身体感覚優位な状態へシフトすることができ、姿勢改善を後押ししてくれます。

魔法の行動ルール⑥ 適度な運動をする（のちに解説する3つの調整法等を行う）。

最後はこれです。このルールを最後にしたのには理由があります。あまりに多くの人が、これまでの5つのルールを意識せずに、すぐに運動を開始してしまいます。しかも、急に、高強度の運動を行ってしまうケースがとても多いのです。そうなってしまうと、燃え尽き症候群になりやすく、途中でモチベーションが切れてしまいかねません。なので、あくまで、5つのルールを実践している上での適度な運

動、というのを心がけてください。良い姿勢を作っていくにあたって、高強度な運動をしなくてもよいのです。目安としては、自分で行って気持ちのいい強度の運動（次の日に極度の筋肉痛にならない程度）、日々の活動の中で自然に取り入れるものがお勧めです。ルール②のところで、もし自分が左足のほうが弱いなと感じたなら、左足に体重をかけて立つことを意識する、といったことでも結構です。

効果倍増する姿勢のプロデュース的な視点とは？

姿勢を良くするにあたって、その効果を倍増させる秘訣があるとすればどうでしょうか？

ここではそれを紹介します。それは、自分の姿勢に対して、

プロデュース的な視点を持つこと。

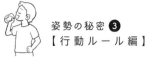

それはどういうことかと言うと、

①自分の姿勢が今どんな状態で（現在地）

②どのような理想の姿勢になりたくて（ゴール）

③そのためにはどのようにステップアップしていけばよいか（手段）

という、自分の姿勢を自己プロデュースしていくという考え方です。

多くの方がこの考えを持っていないために、③の**どうやって姿勢を良くするか**という手段や方法ばかりに目が行き、どれだけ理想に近づいたかなども計測されていません。そのため、やがてやる気が続かなくなり、失敗に終わるというケースがあとを絶ちません。

例えば、

「この健康ノウハウが良いから！」

と、もしあなたが信頼できる人から紹介されたとしても、

①自分の現状と、②理想の状態との、③ギャップを埋めるにあたって、という条件に当てはまらないのなら、

その健康ノウハウは（今の自分にとって）良くないものなのです。

インターネットでもテレビでも、情報が溢れている今、大切なのは、情報を取捨選択する力です。もっと正確に言うと、

今の自分にピッタリの情報を取捨選択する力。

これが、健康になるにあたっても、姿勢を良くするにあたっても、非常に大切な、基本的な考え方の1つです。じゃあどうすれば、今の自分にピッタリな情報を取捨選択することができるようになるのかと言えば、

普段から、①「自分の現状」と、②「理想の状態はどうなりたいのか」を明確にする思考の習慣を持つということです。

多くの現代人は、こうした思考習慣が十分に育っていないまま、情報化社会に生きなければならない状況になっています。

インターネットを開けば、全部見るのが不可能なほど、多くの情報で溢れているのに、自分の姿勢や健康を改善するために、多くの人はうまくその情報を使えていません。

本当に大切な情報はどれなのかを見極める力が必要であり、その目をぜひ今から養ってほしいのです。私から見ると、多くの方が姿勢や健康について情報弱者であり、情報弱者であるがために、耳触りの良い即効性のあるキャッチコピーに脳が反応しやすくなってしまっています。

ぜひこれからは、今の自分にとって必要な情報を取るという能力を磨いてください。そして、前述したように、自分の姿勢や健康には自分で責任を持ってほしいのです。

どれだけ良いと言われるノウハウに出会ったとしても、そのノウハウに依存しないでください。

多くの健康ノウハウ本では、これをやればうまくいく、という方式のもと、ノウハウが公開されています。なので、その通りに行ってみるのですが、基礎的な知識不足のせいで、重要なポイントを外していってしまうため、多くの方がうまくいきません。じゃあ、重要なポイントを外さないためにはどうしたらよいのか？

そもそも、重要なポイントって何なのか？

それは、冒頭でもお伝えした通り、「そもそも、どうして健康になりたいのか？　どうして良い姿勢になりたいのか？」という理由です。

目的を明確にするという大切さです。

そしてその理由が明確になったら、あくまで、その手段として、

「良い姿勢をいかに作っていくか」

について、計測しながら実践し続けることです。

今の世の中、身体の悩みを抱える人は大勢います。もしかすると、自分の大切な家族が健康を害し、姿勢が崩れているかもしれません。だけど、一体どうしたらよいかわからない……。

そんな人にとって、健康になるための全体像がわかり、健康になるにあたって道標となるような教科書を作りたい。そんな想いで本書が作られました。

本書で特に伝えたいのは、こうした本質的なところです。そのため、

「ただ、手っ取り早く、やり方を教えて」

という方向けには書かれていません。まずは考え方の変革が必要なのです。

ルールを守る習慣が あなたの良い姿勢と健康を作る

例えば、ここまで述べてきた内容の中でも、今のあなたの現状と、あなたが理想とする状態とを比べて、今から取り入れたほうが良いと感じた部分はどの項目だったでしょうか？　考え方のところでしょうか？　態度でしょうか？　それとも、行動ルールのところでしょうか？

そのように考えたときに、

「自分はこの点を意識していなかったから、これから意識していこう」

というように、一つずつ自分に照らし合わせて考えることで、姿勢に対する知識が高まり、その実践を通してあなたの姿勢や健康はどんどん良くなっていくのです。

なかでも、この章で紹介している6つのルールは、自分の姿勢が崩れてきたと思うときや、これから姿勢を良くしていきたいと思う人すべてにとって、軌道修正と

なるような行動ルールです。この行動ルールが習慣となり、無意識に行えるようになってきたら、あなたの姿勢は日々、良くなっていくでしょう。

もしくは、あなた自身がこれから姿勢を良くして健康になるために、このような行動ルールを決めてそれを守ろう！　というのも効果的です。人は、自分で決めたことを守ると自信が形成されます。更に、自分でルールを決めて実行していくと、どんなルールを自分に課すと効果的かというのが次第に見えてきます。

トライ＆エラーを繰り返しながら、自分に合った行動ルールを設定していくことはとても有益です。

意外と、自分に今、何が足りてないのかという答えは、頭ではわかっているというケースがほとんどです。頭ではわかっているんだけど、やれていない。習慣になっていない。ならば、本書を読んで、モチベーションが上がり、ずっとやったほうがいいと思っていたけれどやっていなかったことをまずは実行してみるのもよいのではないでしょうか？

それはもしかしたら、タバコをやめることかもしれませんし、深酒をやめること

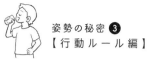

かもしれません。それはもしかしたら、週に3回のウォーキングかもしれませんし、お風呂上りのストレッチかもしれません。

そうは言っても、なかなか習慣にするのは難しいというのであれば、取り入れたい行動ルールの難易度を易しくしてください。

例えば、いきなり1日2リットルの水を飲むのは無理だ！　ということであれば、朝起きたときにコップ1杯の水を飲むことを習慣にする、というように、易しいステップから始めるのです。慣れてくれば、更にお風呂上りにもコップ1杯の水を飲むというように、だんだんと増やしていけばよいのです。

コツは次の3つです。

①易しい課題から習慣にしていく。

いきなり大きい課題を習慣にしようとすると、大変な上に非常にエネルギーも消耗するため、長続きしづらくなります。更に、易しい課題なのに効果は実感できる課題であれば、なおよいでしょう。行動ルールが守れなくなる多くの原因は、その効果が実感できないときです。

②プラシーボ効果を意図的に使う。

人間というのは面白いもので、思い込みによって効果を高めることができます。

いわゆるプラシーボ効果というものです。

例えば、これは必ず効く薬だ！　と信じて、薬ではない白い粉を飲んでも、それが本当に効く薬だと信じていれば、実際に効くという現象です。

つまり、本書で紹介している行動ルールや考え方、態度など、これから取り入れていくことに関して、それには効果がある！　と信じて実践するのと、それには効果があるか疑わしい……と思って実践するのとでは、結果に差が出てくるということです。本書の内容は、10年で2万件以上の姿勢改善に関わった中で導き出した、効果実証済みの内容ばかりです。ぜひ、心から「効果がある！」と信じて取り組んでいってください。そうすれば、効果は倍増していきます。

③できなかったことではなく、できたところにフォーカスする。

自分に厳しい人は、「よし！　これをやるぞ！」と決めたことがうまくいかないと、「自分はこれだけしかできなかった……」「ダメだ……」と自分を責めてしまいがちです。そうなってしまうと自信喪失につながり、モチベーションも低下してしまいます。

そのため、もし、決めていたことができなかったとしても、「そうか、自分はもう少し易しい課題からスタートしたほうがいいんだな。勉強になった」というように、過去の自分を責めず、これからどうするかにフォーカスすることが大切です。更に、もし課題の一部分ができていたとしたら、「ここまではできたぞ。自分は偉い！」と自分で自分を褒めてあげてください。自分を褒めるのがうまくなればなるほど、高いモチベーションをずっと継続できるのです。

姿勢の秘密 ④ 【実践編】

すぐに姿勢が良くなる3つの調整法

ここからは、すぐに姿勢が良くなる3つの調整法についてお伝えします。

①座った姿勢で骨盤の前後傾での調整（15～20回程度）。

これは、すべての基本と言っても言いすぎではない実践法になります。

多くの人は骨盤の動きが出づらくなってしまっています。特に多いのが、腰背部の筋肉が固くなってしまっていることで、お腹の筋肉やお尻の筋肉が働きづらいというものです。骨盤とは下半身と上半身をつなぐ中心でもあり、人間の姿勢の土台でもあるため、骨盤周囲の柔軟性を高めていくことで、良い姿勢の基礎が出来上がります。

現代人は腰痛の人がどんどん増えてきています。その原因の1つは、多くの人が座っている時間が長くなってしまったことから、足の筋肉やお腹の筋肉が衰えてしまっているというものです。そうなってくると、椅子に座っていても、すぐに背もたれに頼りたくなってしまい、崩れた姿勢で座るといった癖が習慣化して、悪循環に陥ります。

よって、この骨盤の前後傾での調整を

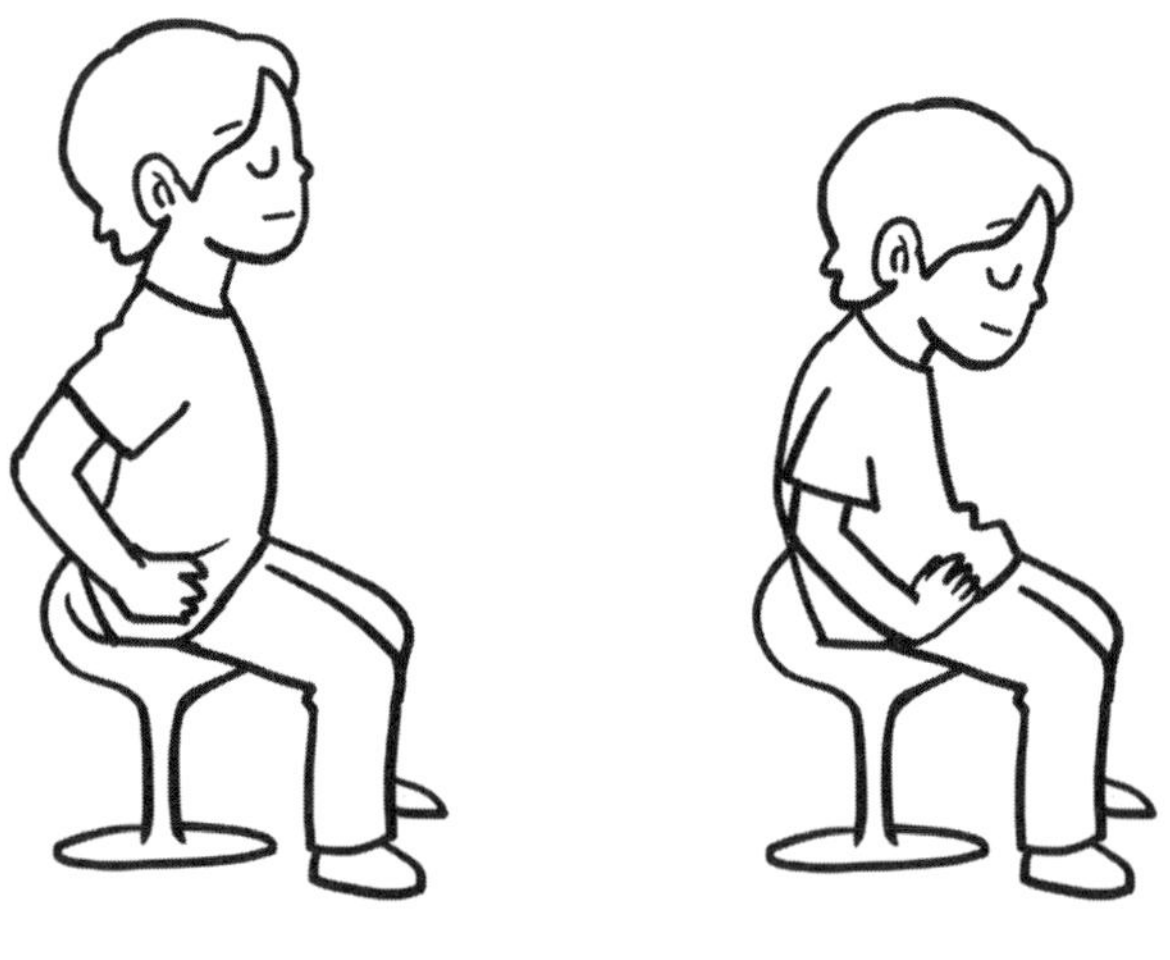

取り入れ、腹筋やお尻周りの筋肉を刺激してください。そうすることで、凝り固まった腰の筋肉が動きやすくなってきて、良い姿勢を作るための土台ができてくるでしょう。

②両手をできるだけ挙げ、胸を張るように上半身を反らし、両手をゆっくり下ろして、上半身を調整（10〜15回程度）。

①の調整で、土台である骨盤に柔軟性が出てきたら、座ったままで、両手を天井へ向けてできるだけ挙げていき、胸を張るように上半身を反らせてください。そして、ゆっくりと（両肘を曲げながら）両手を下ろしていきます。このとき、上半身が頭から真上へ引っ張られているような状態を保ってください。そして、また両手を挙げながら、上半身を反らしていきます。これを10〜15回程度繰り返します。

現代人は腰痛だけではなく、肩こりの人も多くなっています。そして、肩こりの原因として挙げられるのが、猫背というものです。これは、上半身が曲がった状態であり、肩や頭が前方に来てしまうため、首や肩への負担が増してしまいます。猫背であると、腰痛も起こしやすいので、余計に注意が必要です。

逆に言えば、この調整で上半身がしっかりと伸びてきたら、一気に良い姿勢へと近づいていきます。②の調整ができたら、また改めて、①の骨盤の調整に戻ってもらうこともお勧めです。上半身がピンと伸びた状態を保ったまま、骨盤を前後傾できれば、相乗効果が生まれ、更に良い姿勢になっていくでしょう。

③立った状態で足を前後に開き、片足ずつ、アキレス腱伸ばしと股関節の付け根伸ばしで両足を調整（左右交互に10回程度）。

待ってましたと言わんばかりですが、ようやく足の調整に入ります。実はこの①②③という順番が大事で、この順番に取り組んでいただくと、とても効果が出ます。③の調整では立ったまま足を前後に開き、後ろに置いたほうの足のアキレス腱を伸ばしていきます。そして、更に股関節の付け根も伸ばしていきましょう。これを左右交互に10回程度繰り返します。①と②の調

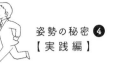

整がうまくできていれば、とても気持ちよく、アキレス腱や股関節の付け根を伸ばすことができます。

現代人は座っている姿勢が長くなったという話をしましたが、それによって、猫背であったり、上半身がピンと伸びづらくなっているだけでなく、実は、足も短くなってしまっています。特にアキレス腱や、股関節の付け根、膝の裏などはとても縮みやすいため、このように調整する習慣を身につけることはとても重要です。

この③の調整のあと、もう一度椅子に座って、先ほどの①の調整、②の調整を行ってみてください。最初と比べて、とても行いやすくなっていることがわかるでしょう。

この3つの調整はとても万能です。もし、最初は腕が左右対称に挙がらなくても、繰り返すうちに左右対称に近づいていきます。この3つの調整法の精度が高まるほど、あなたの姿勢はどんどん良くなります。即効性も高いので、ぜひ実践してみてください。

⦿ 姿勢を生まれ変わらせる4つの方法

ここは【実践編】ですので、心構え的なものではなく、すぐに姿勢を変えられる4つの方法についてお伝えします。

①あなたの理想の姿勢を持つ人の映像や動画を見る。

これは非常に強力な方法です。なぜならば、人の脳にはミラーニューロンという物真似を行う神経細胞が存在しているため、あこがれの人の姿勢や動作をテレビやYouTubeなどで繰り返し見ていると、次第に自分の姿勢や動作も似ていくからです。

「ウソだ！　私はあこがれの芸能人の姿勢をよくテレビで見ているけれども、私の姿勢はまったく似てこない！」

もし、そう思われる場合は、まず、自分はその芸能人のような姿勢にはなれない！　という思い込みを外していくとよいでしょう。もし、その理想の人が、何か特別なトレーニングをしていたり、食事にも気を付けているということであれば、その辺りも真似していくと、よりその理想の人の姿勢に近づきます。

②鏡を見る癖を付ける。

これを聞くと、ナルシストになれってことか？　と思われる方もいるかもしれませんが、鏡を見ることとほど、自分の姿勢の現在の状況を自己評価できるものはありません。プロデュース視点を持つという重要性は前述しましたが、現在自分がどんな姿勢か、どのような癖があるのかを自分自身で認識しない限り、変化を起こすことはできないのです。

③姿勢が良いですね！　と褒められたら、快く受け止める。

自分は姿勢のマスターだ、というセルフイメージが大切だと前述しましたが、本当に多くの方が、「自分は姿勢が悪い」というネガティブな思い込みを持っています。その思い込みのせいで、せっかく周囲から姿勢を褒められても、「そんなことないですよ〜」と言って、姿勢が悪い自分に戻ってしまうのです。

「ありがとうございます。最近、姿勢を意識していて……」という受け答えでもよいので、姿勢を褒められたら、しっかりと受け止めていきましょう。何度も姿勢を褒められるうちに、本当に自分は姿勢が良いのだという良い思い込みが育ってくるでしょう。

④椅子に座るときは、上半身をピンと伸ばしたまま、膝をゆっくり曲げて座りましょう。

多くの人が、立っている状態から、椅子に座るとなると、「はあ、やっと休める」と言わんばかりに一気に全身の力を抜いてしまいます。そうではなく、せっかく立っていたときにピンと伸びていた上半身の姿勢なのですから、それを保ったまま、両膝をゆっくり曲げるような形で腰を下ろしていってください。

すると、ダラッと力を抜いて座るよりも骨盤が起きて、とても良い姿勢で座れます。しかも、その姿勢からであれば、立つのも苦にはなりません。なぜならば、座っている状態でも、お腹の筋肉や足の筋肉が適度に働いている状態にあるからです。これは、最初は意識が必要ですが、慣れると本当にパワフルな効果を発揮します。何か1つしか試せないのだとしたら、迷わずこれをお勧めします。

ここまでのまとめ・復習クイズ レベル1

ここまで読み進めていただいて、ありがとうございます。ここまでが、あなたの姿勢が良くなる習慣と重要性についてでした。

「え？　これだけ？　もっといろいろ運動メニューを聞きたい……」

もしかするとそんなふうに思われるかもしれません。しかし、そう思うのであれば、あなたはまだ、姿勢の潜在能力に気付いていません。運動が大事だと言われる世の中とは、裏を返すと、姿勢の大切さが忘れ去られがちな世の中だと言っても過言ではありません。そして、姿勢は、秘密①の【考え方編】、秘密②の【態度編】、秘密③の【行動ルール編】を経て、秘密④の【実践編】に取り組んでいくと、急速に良くなっていきます。

では、ここからは、今までの復習として○×クイズを出しますので、答えていってください。

〈○×クイズ〉

それぞれ○か×か？

① 姿勢を良くすることはとっても時間がかかる。	□
② 姿勢とは、身体だけの問題であって、精神面は関係ない。	□
③ 姿勢は年齢とともにどんどん悪くなるので、良くするのは難しい。	□
④ 姿勢を治すには筋トレや運動メニューがたくさん必要だ。	□
⑤ 姿勢が良くなると、心身が良い状態になり、仕事でハイパフォーマンスを出せる。	□
⑥ 姿勢と運動のバランスを取ることが、相乗効果を発揮する。	□
⑦ 精神面を整えるだけでも姿勢は良くなる。	□
⑧ 骨盤は姿勢の土台なので、柔軟性を引き出すことが大事。	□
⑨ 素直な人は姿勢が良くなる。	□
⑩ ルールを破ってしまったら、厳しく自分を叱るとよい。	□

答えは次のページ

ほっと一息コラム 1

スイーツ 編

ちょっと一息つきましょう。個人的な話ですが、私はスイーツをたまに食べるのが好きで、家族の誰かが誕生日のときなどには、人数分のそれぞれ違う種類のケーキを用意して、美味しく頂きます。特にチーズケーキが好きで、ブラックコーヒーと一緒にゆっくりスイーツを味わうのは至福のときです。

「姿勢を良くしようとしているのに、スイーツなんて食べていいんですか?」

という意見が聞こえてきそうですが、食べすぎなければ問題ありません。むしろ、姿勢を良くするとか、健康になる目的って、自分が食べたい物を食べるとか、したいことをするとか、行きたいところに行くとか、自分が幸せだな〜って思うことを永く元気に続けられるところにあるんじゃないか……と思うんですね。ほら? そう思うと、また次に買ってくるスイーツもより美味しく食べられませんか?(笑)

〈○×クイズの答え〉①× ②× ③× ④× ⑤○ ⑥○ ⑦○ ⑧○ ⑨○ ⑩×

姿勢の秘密⑤

【伝達編】

人に教えるほど、自分の姿勢は良くなる

ここからは、あなたが姿勢を良くするだけではなく、あなたの周囲の人に姿勢を良くすることの良さを伝えていってもらうという段階に入っていきます。

「え？　自分の姿勢すらままならないのに、人に姿勢について教えるなんて無理だ！」

そう思われる人もいるかもしれません。しかし、何も姿勢について、専門的な知識を教えるというのではないので大丈夫です。そうではなく、

「このようなことを意識したら、最近身体が軽くなったんだ」

「最近これをやっていったら、腰が痛まなくなったんだ」

といった、自分の姿勢が良くなっていることを周囲の人とシェアしていくということです。


人は、人に教えたときに、一番自分自身が学ぶと言われています。あなたが姿勢について、周りの人と話す頻度が増えるだけで、あなたの姿勢は更に良くなっていくでしょう。そして、姿勢について困っている人がいたら、あなたの経験を基にアドバイスしてあげることができるかもしれないのです。そうなってくると、更に自分の姿勢を良くするモチベーションも高まってくることでしょう。

▼姿勢ノウハウについて、自分がうまくできたら、周りの人に報告する。

これはとてもパワフルな方法です。周りの人もあなたの姿勢がどんどん良くなっていくのを見たら、良い影響を受けていくでしょう。うまくいけば、一緒に姿勢を良くしていく仲間ができるかもしれませんね。

そして、姿勢が良くなったことや、身体が楽になった、などの変化を周囲の人に話すと、自分は姿勢が良いんだ、自分は健康的だ、といった良い思い込みが強化されていきます。大事なことなので何度も言いますが、

無意識の思い込みによって、姿勢と健康は左右されています！

人の姿勢や健康度というのは、その人自身の思い込みに大きな影響を受けています。いくら口先だけで、「私は姿勢が良い！」と言い張っても、心の奥底で、「でも本当は、身体が重いんだよね」と感じていたら、その人の思い込みは「私は実は身体が重い」であり、現実にもそうなってしまいやすいのです。

じゃあ、無意識の思い込みを良い方向に変えていくためには？

それが、人に教えたり、自分の姿勢が良くなった報告をすることなのです。

▼自分の脳を良い方向へ騙す。

いつもいつも、「良い姿勢になる方法を教えてください！」「健康になる方法が知りたい！」と言っていると、まだ自分は姿勢が良くない、まだ自分は健康じゃな

い、という思い込みを強化してしまいます。なので、「自分はこうして姿勢が良くなりました！」であったり、「こうすると楽ですよ！」といった言葉を使うのです。すると脳に、自分の姿勢が良くなって、それを周りの人とわかち合っているという状況を刷り込むことになるので、自分は姿勢が良いのだ、誰かに教えてあげられるのだ、という良い思い込みが形成されるのです。

更にここでは、効果抜群の2つの言葉を紹介します。

効果抜群の言葉① 「更に良くなるには？」

「更に良くなるには？」という言葉は効果抜群で、今も姿勢は良いけれども、更に良くなるにはこうしたらよいんだという、自分の姿勢に対する思い込みを良い状態に保ちつつ、更に良くしていくのにとても有効です。「更に良くなる」「更に良くなった」という言葉を、ぜひ口癖になるくらい使ってほしいと思います。

効果抜群の言葉② 「ますます良くなるには？」

「ますます良くなるには？」という言葉も、「更に」と同様の効果を発揮します。ますますということは、今も良い状態なのだけれども、それがますます良くなる！という、更に勢いがついて、1つレベルが上がっていくような思い込みを形成できます。

この「更に」と「ますます」という言葉を、まずは自分自身に使ってみてください。

▼あなたの姿勢は雄弁である。

「姿勢が良くなったとしても、それを人に言うのは自慢しているようで、はばかられる……」

もし、そう思われることがあるとしたら、覚えておいてほしいことは、あなたの姿勢は雄弁であるという事実です。

目は口ほどに物を言うという言葉があるように、姿勢は目や口ほどに物を言います。つまり、あなたがもし、何も言わなかったとしても、あなたの姿勢が良くなると、それを周囲の人は察知しているということなのです。

ですので、もし、自慢みたいで言いたくないということであれば、言わなくても結構です。ただ、「なんか最近姿勢良くなったんじゃない？」とか、「なんか元気そうになったね！」と言ってもらえたら、「そうなんだ！　ありがとう！」と笑顔で受け取ってください。それだけでも十分効果があります。

▼「どうしてそんなに最近姿勢が良くなったの？」と聞かれたら。

もし、「どうしてそんなに最近姿勢が良くなったの？」と聞かれたら、「私も姿勢が良くなる方法を知りたい」と興味を持ってくれているサインなので、そのときに「実はこういうことを試して……」と経験談を話すのもよいですね。

これだと、相手が興味を持って聞いてきてくれたことに対して答えているので、自慢臭さもありません。

自分だけでなく、周りの人の姿勢も良くする

あなたが笑顔でいたら、あなたの周りの人も笑顔になるように、あなたの姿勢が良くなれば、あなたの周りの人の姿勢も良くなります。自分の姿勢が良くなることは、それだけで、周りの人たちへの貢献になるということを前述しましたが、あなたの姿勢や健康というのは、実はあなただけのものではありません。あなたと一緒に住んでいる家族や、職場の近しい同僚や、仕事で接するお客様などに対しても、大きな影響を与えます。

自分だけでなく、周りの人の姿勢も良くすると言うと、

「私には、自分の姿勢や健康のことだけで手一杯だ！　そんな周りの人の姿勢や健康まで、とてもじゃないけど良くなんてできない……」

そう思われるかもしれません。ですが、それでよいのです。あなたはあなたの姿

勢や健康を良くしていくこと。そこに集中できれば、あなたの周囲の人は、あなたの良くなった姿勢に大きな良い影響を受けることになるからです。

姿勢は口や目ほどに物を言うということは、あなたの良くなった姿勢そのものが、あなたの周りの人の姿勢や健康にまで良い影響を与えるということ。そのことを覚えておくだけで、自分が良い姿勢を作っていくことは、実はすごく周りに良い影響が生まれるんだな、と理解することができ、自分のモチベーションも高めてくれるため、非常に有益です。

そして、実は逆も然りで、

良い姿勢が周りに良い影響を与えるということは、悪い姿勢というのは、周りに悪い影響を与えます。

例えば、家に1日中グータラな姿勢でいる人と一緒に過ごしていると、こちらの姿勢も休みたくなってしまう傾向があるのです。逆にキビキビ動いている人と1日中一緒に過ごすと、自分もキビキビ動く傾向が生まれます。もちろん、リラックスする目的があって、意図的にグータラするのはなんの問題もありません。キビキビ動くということに関しても同様です。

ここで覚えておいていただきたいのは、自分の姿勢も近しい相手に影響を与えているし、近しい相手の姿勢も自分に影響を与えているということです。

これが理解できてくると、あなたの姿勢というのは、あなたの近しい人の姿勢という、いわゆる外部環境に大きく左右されるものだ、ということにも気付いていけるでしょう。

じゃあ、どうすればよいのか？

答えは、あなたがあなたの姿勢を良くしながら、あなたの周囲の人たちの姿勢に良い影響を与え続けていくということです。

あなたは、あなたの姿勢の問題に取り組むことで、良くなっていくあなたの姿勢があなたの周囲の人たちに良い影響を与えます。そして、もし姿勢について、アドバイスや意見を求められることがあれば、その状況に応じて答えていってあげればよいのです。そして、自分が試して、実体験をして感じた素直な感想を話すのがお勧めです。なぜならば、人は、その人が実際に経験をしたことから話す内容に重みを感じる生き物だからです。

▼あなたの実体験を話す重要性。

例えば「どこかの偉い専門の医者がテレビでこう言っていた」と言っても、相手にとっては、あまり響かないかもしれません。ですが、「その医者の言う通りに1週間努力したら、あれだけ治らなかった姿勢が劇的に良くなったよ！」と、あなたの実体験を述べたら、相手は興味を示すのではないでしょうか？ それは、実体験には重みがあるからであり、どこの誰に効果があったのかわからないものより、今目の前にいるあなたに効果があったもののほうが、興味をそそられるからです。

▼知っていることよりも、やっていることを話す。

口ではウソをつけるが、行動はウソをつけないという言葉があります。あなたは健康や姿勢について、これまでも多くの情報を聞いてきていると思います。その中でも、実際にあなた自身がやっていること、やり続けていること、過去にやって効果があったことなどには、あなたがただ単に知識として知っていること以上に、相手にとっては価値があります。

ぜひこれから、自分と周囲の人たちの姿勢を良くしていくためにも、実体験を話し合える環境を作っていきましょう。すると、あなたの姿勢や健康が、結果として相乗効果的に良くなっていくことでしょう。

姿勢がどんどん良くなるセルフイメージを鍛える

思い込みの話はこれまで何度も取り上げましたが、それは何度も取り上げなければならないほどに重要だからです。

セルフイメージ＝自分に対する思い込みです。

姿勢のセルフイメージ＝「自分は自分の姿勢をどう思っているか？」
健康のセルフイメージ＝「自分は自分の健康をどう思っているか？」

そしてこれは、先ほども述べたように、今口先で「私は姿勢が良い！」と宣言しても、あなたの脳が無意識の中で、「そんなことはない」と思っていたら、あまり意味がありません。しかし、脳には、実はある特徴があります。それは、

脳の特徴① 反復されるものは重要であるという認識をする。

これです。そのため、「私は姿勢が良い！」という言葉も、繰り返し繰り返し自分に言い聞かせていくと、脳はだんだんと良い方向に洗脳されていきます。そしてもう1つ大事な特徴があります。それは、

脳の特徴② 感情的に話したものは重要であるという認識をする。

これです。つまり、感情を込めて、「私は姿勢が良い！」という言葉を反復して言うことが、あなたの脳の無意識の思い込みをどんどんポジティブに変化させていきます。

人は一貫性を持ちたい動物であり、自分の今の姿勢がそれほど良くなかったとし

ても、「私は姿勢が良い！」と宣言していると、自分の姿勢を良い方向に治そうとしていきます。

▼自分の癖を炙り出してくれる。

もう1つ良い点は、「私は姿勢が良い！」と宣言すると、「でも、前も腰痛を起こしたよね？」と無意識の声が聞こえてくることです。そこで、「そうだ。やっぱり自分はダメだ」と思ってしまってはもったいないわけです。そうではなく、「じゃあ、腰痛を起こさないためにはどうしたらよいか？」と、自分の姿勢や健康の癖を治すためには？　と意識をポジティブに持っていくとよいでしょう。

「私は姿勢が良い！」と宣言することは、そうした自分の姿勢の癖も炙り出してくれる効果があるのです。

▼セルフイメージとは日々鍛えていくものである。

このような認識を持つことで、自分に対する思い込みを急に変えるのではなく、徐々に変えていけばよいのだというふうに思えます。

例えばいきなり、「私は姿勢の天才だ！」などと言ってしまうと、違和感があるということであれば、最初は、「今日は、昨日よりも姿勢が良い！」でも構いません。大事なことはポジティブな宣言であることです。人に聞かれると恥ずかしい場合は1人でいるときに言うか、究極、心で思うだけでも構いません。そうしたポジティブな言葉を意識し続けていくと、実際に本当に姿勢が良くなっていくことに気付くでしょう。

▼ポジティブな言葉の力。

言葉の力というのは、非常に強力であり、その言葉1つで、プラスにもマイナスにも働きます。例えば、1日の終わりに、「あ〜、今日も疲れた！　もう身体がボロボロだよ……」という言葉を使っている人。もう一方には、「あ〜、今日もいっぱい働いた！　今日は身体を気持ちよく休めよう！」という言葉を使う人。どちらの人の姿勢が良さそうかと言えば、後者ではないか？　と多くの人が思うのではないでしょうか？　つまり、どんな言葉を使っているかを意識することが、姿勢にとっても非常に大事だということです。

▼セルフイメージは無意識に出る口癖に左右される。

自分がもし、ネガティブな口癖があると気付けたとしたら、少しずつで良いので、意識して変えていってください。すると、あることに気が付くはずです。「あれ？　疲れたって言わなくなったら、あまり疲れなくなったな……」。そうです。実は、疲れたから「疲れた……」と言っている人以上に、「疲れた……」と言ってしまっているから疲れている人が多いのです！

これは衝撃的な事実ではないでしょうか？

「そんなはずはない！　誰が好き好んで自分で疲れを作り出すって言うんだ？」

ここで見ないといけないのは、疲れていることで得られるメリットもあるということです。ここでは疲れていることの６つのメリットを紹介します。

疲れていることの6つのメリット

①心配してもらえる。
②労ってもらえる。
③気にかけてもらえる。
④ゆっくりさせてもらえる。
⑤家での仕事を任されずに済む。
⑥あなたの仕事を手伝ってもらえる。

もし、1つでも当てはまるものがあるとすれば、あなたは自分でその疲れを作り出している可能性があるということです。

しかし、これに気付けたら、「そうか。自分で作り出していた疲れなら、自分で消すこともできるな」と考えてほしいのです。そうすることで、本来のあなたの身体の軽さが戻ってくることでしょう。

姿勢の秘密⑥【管理編】

姿勢が良くないな……関節が痛いな……と感じたときは

このパートは非常に重要で、姿勢の管理ができていないからこそ、姿勢や健康面での悩みを持ってしまっている人は非常に多いのです。そして、自分の姿勢を管理するにあたって、「姿勢が良くないな……」と感じたときは、姿勢を見直す良いチャンスと言えるでしょう。まず、姿勢を管理するにあたって、大前提となる考え方を紹介します。それは、

姿勢とは、自分で管理するものだ！　という考え方です。

非常にシンプルで、そんなの当たり前だと感じるかもしれませんが、ここで今一度意識していただく価値があるほどに強力な土台です。つまり、自分の姿勢を自分のコントロール下に置きなおすということだからです。

そもそも、「姿勢が良くないな……」と感じるということは、どこかの関節に無理がきていて、姿勢が捻じれていたり崩れている可能性があるわけです。その原因を突き止めて、自己修正を図っていくということが非常に大事なポイントとなります。

では、具体的に何を実践していけば上手に管理していけるのかについて、見ていきましょう。

▼自分の姿勢の癖や現状をチェックする。

前述しましたが、これは姿勢を管理していくには非常に重要なポイントで、これなしには適切な姿勢の管理はできません。なぜならば、自分の姿勢が今どのような状態にあるのか？　という現状把握をすることが姿勢を管理するにあたっては必要不可欠だからです。ここでは、簡単に現状把握するための3つの質問を紹介します。

▼現状把握するための3つの質問

質問①：「どこか痛い（重い）のか？」（負担が強い部位の特定）
質問②：「痛い（重い）とすれば、それはいつからか？」
（負担が強くなっている期間）
質問③：「なぜ痛く（重く）なってしまったのか？」
（負担が強くなってしまった理由の分析）

この3つの質問によって、自分の姿勢や関節がなぜ調子が悪いのか？ を自己分析していきます。例えば、簡単な例で言うと、

質問①：「どこか痛いのか？」（腰が痛い……）
質問②：「痛いとすれば、それはいつからか？」（今日の朝から……）
質問③：「なぜ痛くなってしまったのか？」（そういえば、昨日は重たい荷物を一生

懸命運んだな……そのせいか……）

という具合です。このように、現状の把握ができたとしたら、次は自分で対処していく方法を模索します。

質問④：「何をすれば効果的か？」

この質問をすることで、自分の現状に対する様々な方策が浮かんできます。

例えば、

「近くの整形外科の医者に診てもらおう」

「今日は温泉にでも浸かりにいって、腰をゆっくり休めよう」

「今日は腰に負担のかかるような動きはしないようにしよう」

といった具合です。

もちろん、ものすごい激痛が腰に走るということであれば、医者に診てもらうのが賢明だということは言うまでもありませんが、ちょっとした痛みや身体の重さというものは、現状把握の３つの質問と、最後の４つ目の質問で、自分で管理できる要素もあるということです。

何か自分の身体の調子が悪くなるたびに、こういった質問を自分に繰り返し行うことで解決できた経験が蓄えられていくと、自分の姿勢や身体の健康はある程度、自分で管理できるという自信につながっていくでしょう。

１つ注意点として、明らかにおかしい痛みがあるとか、今までにない痛みで不安だというような緊急性がある場合は、ちゃんと専門の医者に診てもらうことが重要です。

すべてがすべて、自分で管理しきれるものだと思うことは、逆に危険を伴うものとなります。このことだけは覚えておいてください。

簡単管理！ ５つの姿勢調整法

ここでは更に、日頃から簡単に姿勢を管理できる調整方法について、順番に紹介していきたいと思います。まず1つ目は、

①肩幅より少し狭めの間隔で両足を置き、両爪先をしっかり前方に向けて左右対称に立つ。

姿勢の調整は、活動的な姿勢で行うという原則に沿って行います。なぜならば、そのほうが早く効果が出るからです。まず、両足のポジションを整えましょう。しっかり爪先が前を向いている状態で左右対称な姿勢で立ちましょう。この左右対称で立つということが非常に大事なポイントであり、多くの人が、立っ

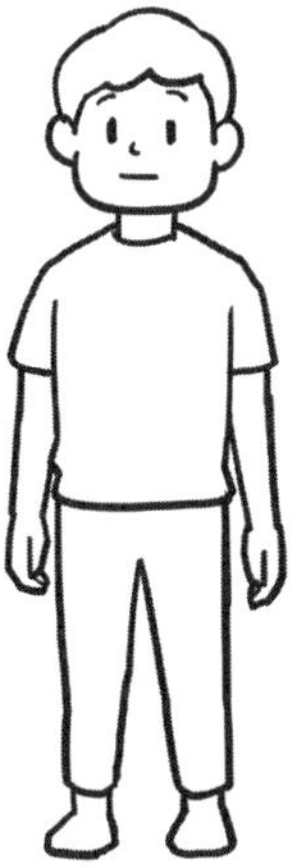

ているとき、左右対称の姿勢で立てていません。

1～2分ほど左右対称に立つだけでも、あなたの姿勢は修正されていくでしょう。

②その状態から、右手、左手と交互にゆっくりと挙げ下げしていきましょう。

これは手の筋トレが目的ではありません。右手と左手を、交互に挙げ下げしながら、姿勢の自己修正を図っていってもらいたいのです。そのため、ゆっくり手を挙げてゆっくり下げていきましょう。おそらく、どちらかの手に挙げづらさを感じるのではないかと思います。その挙げづらさがなくなるまでゆっくりと交互に手の挙げ下げを行っていきましょう。

目安は、左右20回ずつ挙げる程度です。ここで非常に大事なポイントとなってくるのは、動きを感じるということです。挙げにくさや手の重さ、挙げきった最後の感触など、右と左で比べてみてください。どう違いますか？

③その状態から、両膝を曲げ、ゆっくり椅子に座り、骨盤の前傾、後傾運動をします。

左右対称を保ったまま、両膝をゆっくり曲げていく形でゆっくり椅子に座ります。すると、座っていても両太ももに程良い力が入ったままの状態になって、骨

盤がいつもより起きている状態を感じられると思います。いわゆる、足とお腹に力が入っている状態ですね。このまま肘を曲げて両手を骨盤に添え、骨盤をゆっくり前傾、後傾、これを繰り返していきます。その際、骨盤をゆっくり動かすほど、お腹の奥のほうの筋肉に自然と力が入ってくるようなイメージを持ってください。目安としては20回程度行いましょう。

④その状態から、片足ずつ膝を伸ばして、膝の裏、太ももの裏の筋肉を伸ばしていきましょう。左右交互に行います。

姿勢はピンと起きている状態をキープしながら、片足ずつ、膝をゆっくり伸ばしていきましょう。この際、膝裏や、太ももの裏の筋肉が気持ちよく伸びていく

ことをイメージしましょう。そして、反対の足も同じように行います。上半身の姿勢の状態が良ければ良いほど、足の筋肉も気持ちよく伸びてくれます。姿勢が良くなると、普段伸ばしにくい筋肉も気持ちよく効果的に伸ばすことができるようになります。目安としては、左右10回ずつゆっくり伸ばしましょう。

⑤最後に、両手の指、両足の指をめいっぱい開きます。

実は、多くの人が、両手の指、両足の指の筋肉が縮こまっています。ここまでの姿勢調整は、この両手の指、両足の指をしっかり伸ばすための準備だったと言っても過言ではありません。それほど実は、両手、両足の指が十分に開き、気持ちよく伸びていくというのは、身体にとって、姿勢にとって、とても重要なことなのです。両手の指が気持ちよく開けば開くほど、あなたの肩周りの筋肉も適切に働くようになっていきます。そして、あなたの両足の指が気持ちよく開けば開くほど、あなたの股関節周りの筋肉が適切に働くようになっていくのです。目安としては、20回程度、ゆっくり開いたり閉じたりを繰り返しましょう。

結果として、この5つの調整法を順序に沿って行っていくことで、行う前とは別人のような姿勢を手にすることができるでしょう。

▼大事なポイントは動きを感じること。

大事なポイントは、ゆっくりと自分の動きや姿勢を感じるということです。現代人は動きすぎであり、なかなか姿勢を感じたり、姿勢の自己修正をかけたりという時間や意識を持てていません。こうした自分の姿勢と向き合う時間を取るだけで、劇的に姿勢は良くなり、自分で管理していくことが容易になっていくことでしょう。ぜひ、1つ1つを楽しみながら実践していってください。

あなたの姿勢はすぐに戻せる！管理に重要な3つのコツ

前述の調整法を十分に試していただいた方は実感できたかと思うのですが、本当に姿勢というものは、思っている以上にすぐに戻せるものなのですね。そのことを体験するということは、非常に価値があります。なぜならば、多くの人が、姿勢は簡単に治るものじゃないと思い込んでいるからです。

管理のコツ① 自分の姿勢は自分で良くできる！ という信念を磨く。

もしも、本書で紹介している実践法を試しても、なかなか効果が出てこないという方には、非常に大事なポイントとなるのがこの部分です。そもそも、自分の姿勢が自分で簡単に良くできると信じられていない。この状態であると、本書で紹介している内容はもちろん他のいかなる自主トレなどを取り入れたとしても、効果が出づらくなってしまいます。それは、自分の身体は自分がコントロールできるという大原則を見失ってしまっているからなのです。それはもしかすると、過去に自分ではうまくいかなかった経験があるのかもしれません。

ある意味、自信を失っている状態に近いとも言えます。その場合に効果てきめんな方法があります。それは、

小さな成功を積むということです。

多くの人が、大きな成功は成功と言えるけれど、小さな成功は成功とは言えないと考えているのです。しかし、大きな成功しか成功と呼ばないのであれば、私たちはどうやって自信を育てていけばよいのでしょうか？　そうです。自信をつけていくためには、小さな成功も立派な成功として、自分を深く承認してあげることが大切なのです。その小さな成功体験の積み重ねが、少しずつ自信を形成し、ゆくゆくは大きな成功をも実現させるという好循環を生むというわけです。

そのスタートとなるのは、小さな成功を積み重ねることです。ぜひ、どんな小さな成功であっても、自分を褒める癖を付けてください。そうした瞬間から良い自信が積み上がり、自分の姿勢は自分が良くできる！　という信念の形成に大いに役立ってくれることでしょう！

管理のコツ② 自分を好きになる。

これは意外と思うかもしれませんが、非常に大事です。なぜならば、自分のことが好きであればあるほど、自分の身体を大切に扱うようになっていくからです。もし、自分のことがあまり好きでない場合、自分の身体の扱い方も雑になっていきます。じゃあ、どうすれば自分を好きになれるのか？　その方法の1つは、

ウソをつかないことです。

これはまた、意外に思われるかもしれませんが、本当のことです。なぜならば、もし、ウソをついてしまったとしても、自分自身はそれがウソだということはわかっているので、自分はウソをついているという認識が残ります。そうすると、自分の言葉に力がなくなり、自信もなくなっていくのです。

逆に言えば、素直になり、ウソをつかないこと。思っていることと、言っていることや、やっていることが一致していくこと。そうなれば、自分の言葉に重みが出てきて、自信も形成されていきます。そうなってくると、自分のことを好きになっていくのです。

「私は人にウソなんてつきません。大丈夫です」

と言われるあなたに、もう1つだけ質問があります。それは、

「自分自身にウソはついていませんか？」

という質問です。どういうことかと言うと、本当はとても疲れているのに、周囲の人を気遣って、疲れていないと言う。これも実は、自分の思っていることと言っていることが違うため、ウソになっていくのです。自分に対してもウソをつかないということは、周囲の人を大切にするのと同様に、自分のことも大切にするということです。

①周りにウソをつかない（周りに正直でいる）。

②自分にウソをつかない（自分に正直でいる）。

この2つが実践できれば、自分のことをどんどん好きになることができ、自分を大切に扱えるため、姿勢もどんどん良くしていけることでしょう。

管理のコツ③　自分に無理のない範囲で取り入れる。

何事もそうですが、「よし！　これから毎日2時間、運動をするぞ！」などと、いきなりハードルの高いことを日常生活に組み込もうとすると、多大なストレスがかかります。それで全然いけるという人ならば問題ないのですが、多くの人が急激な変化にはストレスを感じてしまいます。

よって、姿勢管理においても、取り入れやすいところから徐々に取り入れていくというのは大切です。そうでないと、燃え尽き症候群のように、一気にやる気が奪われ、やめてしまうことにもなりかねず、それはとてももったいないことなのです。

なので、まずは取り入れやすいところから取り入れ、徐々にレベルを上げていくということを意識しましょう。波や勢いに乗るまではスロースタートでＯＫです。

姿勢の秘密⑦【環境編】

姿勢を良くしていく環境を作る

環境というのはとてもパワフルであり、特に、私たちの脳や身体というのは、環境からの影響を受けやすいという特徴があります。例えば、仕事を家ですると集中しにくいが、カフェで仕事をすると集中できる、というのも環境の力です。家というのが、リラックスする場だという要素が強いと、家ではついつい休みたくなってしまう。その一方、他の人もいるある程度の緊張感のあるカフェという環境のほうが仕事に集中できる。そのようなことがあるかもしれません。ここでのポイントは2つです。

ポイント①：環境の力というのは強力だと認識すること。
ポイント②：環境を味方につけるための環境の選択力を養っていくこと。

では、あなたの姿勢にとって、味方となってくれる環境とは、どういったものでしょう？　それを紹介していく前に、自己分析を進めやすくするために、あなたが普段身を置く環境が、リラックス環境タイプか緊張環境タイプかを調べていきましょう。

▼リラックス環境タイプとは？

家など、リラックスする環境に身を置く頻度が多いタイプです。リラックスすることはとても良いことですが、リラックスしてばかりだと身体が重くなってしまいます。

▼緊張環境タイプとは？

責任の重い仕事場など、緊張する環境に身を置く頻度が多いタイプです。緊張感があるため、身体は良く動きますが、緊張が強いためリラックスしづらく、関節に痛みが生じることもあります。

あなたは、どちらのタイプに近いでしょうか？

結論から言うと、これら2つのタイプはどちらに偏りすぎてもよくはなく、要はバランスが大切だということです。

もし、リラックス環境タイプであれば、家で過ごすことが多いのなら、適度な緊張を持てる作業に取り組むというのもありです。逆に、緊張環境タイプであれば、深呼吸をしたり、自分の緊張を落ち着かせる時間を設けることが非常に有益となります。

では次に、具体的にどんな環境であれば、姿勢を良くするのに効果的かを詳しく見ていきましょう。

①高座位椅子

ぜひ紹介したかったのが、この高座位椅子です。理由は簡単で、高座位というのは、両足にもある程度力が入った状態で座れるため、骨盤も起きやすく、上半身も比較的ピンと伸びたまま座れる優れものであるからです。もし、自宅や仕事場などに取り入れられるのであれば、ぜひお勧めです。

②背もたれ付きソファー

これはリラックスすることが目的です。良い姿勢を作るためにはリラックスはとても大事であり、リラックスなしに元気な毎日を継続して過ごすことはできません。疲れたな、と思ったときに気持ちよく身を預けられるソファーは、とても良い味方となってくれます。

③日光をよく浴びる

雨の日は気分が浮かないと言う人がいるくらい、実は日光に当たる習慣というのは重要で、心身の健康を守ってくれます。ただし、夏場などは太陽に当たりすぎると熱中症になってしまうため、その都度調整は必要です。ですが、陽の光に当たる習慣を持つ。そうした環境を意図的に作る。これだけで、心身に元気が出てくるのを実感できるでしょう。

④自然と触れ合う時間を持つ

今は、子供であっても、自然と触れ合う時間が昔に比べて少なくなっていると言われています。そして、大人になると、もっと顕著になります。自然と触れ合う時間が少なくなった代わりに、スマートフォンに触る機会がとても増えてしまいました。スマートフォンの見すぎで、スマホ首といった頸椎の変形まで出てきているという深刻な状況です。ときにはスマートフォンを置き、自然と触れ合う時間を意図的に作ってください。

そうすることで、心身は深くリラックスすることができるでしょう。

姿勢を良くする5つのツール、手段の紹介

①YouTube動画

現代は、YouTubeに様々な健康ノウハウが無料で公開されており、良質な動画はあなたの姿勢を良くしていく上で非常に有益です。良質な動画を選ぶポイントとしては、プロフィールで信頼に足る実績を持っているか確認すること、自分の今の状況に合った悩み解決の動画であることなどです。

②健康ノウハウ本

本書はもちろんのこと、専門家の知識を吸収していくことで姿勢管理能力は次第に高まっていくでしょう。ただし、たくさんの情報があるため、厳選していくことが重要です。その際も、動画を選ぶときと同様、プロフィールの確認と、自分の今の悩みの解決にピッタリのものを選ぶことです。

③健康をテーマとした勉強会やセミナー

人というのは、自分がしっかりと時間とお金とエネルギーを投資して学んだものに対しては忘れにくいという性質を持っています。逆に簡単に手に入るものに関しては、あまり価値を感じず、忘れてしまうスピードも速くなります。

そういった理由から、健康をテーマとした勉強会で学ぶというのはとてもお勧めです。ただし、これも様々な勉強会があるため、講師のプロフィールを確認し、そして、その勉強会のテーマが今自分の悩んでいることにマッチしているかをよく精査した上で、参加されることをお勧めします。また、そうした勉強会で知り合った人とは、健康に対して似たような価値観や意識を持っていることが多いので、そうした健康意識の高い友達ができるという面でもとても有益です。

④健康の専門家の情報を定期的に取り入れる

あなたが信頼できる専門家を見つけたら、その専門家が発信する情報を定期的に仕入れていきましょう。そうすることで、あなた自身の知識が深まり、あなたの姿勢や健康に対して有益なノウハウを得ることができるでしょう。

そのことからも、自分の姿勢が良くなる環境や、自分が健康になる環境を整える一番の近道というのは、自分が姿勢や健康の知識を持って、自分に合った環境を選べる人になること、という結論に至ります。

環境の力は強いからこそ、環境を味方につけると非常に強いパワーであなたを助けてくれます。しかし、その強力なパワーを借りるためには、あなた自身も、良い環境が選べるように賢くならなければなりません。

究極的に言えば、環境を選ぶのはあなただからです。

あなたが賢くなればなるほど、あなたが選ぶ環境の質は高まります。その環境があなたの強力な味方となって、あなたの姿勢や健康をみるみる良くしていってくれるのです。そして、自分に合った環境を選ぶときは、理論的に選ぶ以上に、それが好きだと思えるかという直感に似た感覚も大事にしてください。なぜならば、人は嫌々やっても長続きしない動物だからです。

ぜひそのようなことを意識しながら、良い環境を選び、身を置く、取り入れる、といったことを実践していってください。もし、あなたにとって、最高の環境が見つかれば、それをあなたの周囲の人に紹介していくのもよいかもしれません。そうして、良い環境に恵まれる人が増えていけば、姿勢が良くて健康な人はどんどん増えていくでしょう。

最後に一番大事なツールを紹介します。

⑤健康に良いとされるツールを選ぶ目

「これってツールなの?」と言われてしまうかもしれませんが、これは本当に大事なことなので、あえてここで紹介させてください。

健康に対して良いとされる、例えば健康器具など、数え上げればキリのないほど、世の中には多くの健康ツールがあります。つまり、大事なのは、今の自分にピッタリのツールかどうかを選ぶ目であるという結論に至ります。

もし、今の自分にピッタリなのかどうかがわからないということであれば、本書の内容などは非常に役に立つ考え方の基礎などを紹介しているため、熟読されることをお勧めします。

いくつかの全般的な基礎知識と、自分の身体や姿勢に対するある程度の自己分析なしには、自分にピッタリの手段やツールを見つけることは困難です。この事実を理解していただくのが大事です。さもなければ、これが良い、あれが良い、と言われるがまま、健康器具に大金をつぎ込んで、結局買った健康器具も3日坊主で使わずじまい……ということにもなりかねません。

これからの時代は、自分自身が、健康の知識といったリテラシーを高めていくことが大事なのです。

ここまでのまとめ・復習クイズ レベル2

本書を半分以上、読み進めていただいて、ありがとうございます。ここまでが、あなたとあなたの周りの人にまで、姿勢が良くなる好循環を起こせるようになるためのパートでした。

「自分の姿勢が周りに影響していたなんて……」

そうです。実はあなた自身の姿勢が良くなることが周囲に良い影響を及ぼしていくのですね。そして、姿勢を管理していく上での具体的なノウハウとコツは、これからとても役に立っていくものと思いますので、ぜひ実践してください。

最後に、環境はパワフルだからこそ、良い環境を選ぶ必要があり、その選ぶ目を養わなければならないという話をしました。ここまでの復習として、またクイズを用意しましたので、ぜひチャレンジしてみてください！

〈○×クイズ〉

それぞれ○か×か？

① 姿勢は人に教えても、良くならない。 □

② 姿勢については、実体験よりも、知っていることを話したほうがよい。 □

③ 姿勢は思い込みに大きく左右されている。 □

④ 姿勢を自分で管理するのは難しい。 □

⑤ 姿勢管理には、現状把握が重要だ。 □

⑥ 姿勢調整のポイントは、よく動きを感じることだ。 □

⑦ 姿勢を良くしていくのに、環境の力は大したことはない。 □

⑧ 姿勢を良くしていくのに、YouTube動画も役に立つ。 □

⑨ 姿勢に良い環境を選ぶには、それを選ぶ自分の目が大事だ。 □

⑩ 自分の姿勢は周りに影響しない。 □

答えは次のページ

ほっと一息
コラム2

TVドラマ 編

ここでちょっと一息つきましょう。またまた個人的な話ですが、僕は嫁と一緒にTVドラマを見ることがあります。「いろいろ勉強しなきゃいけないことがあるだろうに、TVドラマを見てのんびりしていていいのですか?」と言われそうですが、TVドラマは何も考えずに楽しんで見ることができるので、僕にはちょっとしたリラックスの時間なのです。

そのドラマを見ていて、僕が感極まって泣いてしまうときがたまにあります。そのとき、僕の嫁は一切泣いたりしていません。逆に、嫁が少し感動しているとき、僕はまったく泣いていないことがあります。お互いに反応するポイントがまったく違うのですが、一緒にTVドラマを見ているのは、僕にとっては楽しいものです。同じドラマを見ているのに、反応するところが全然違うってことは、自分がこれは良い！　と思っても嫁には良くなかったり、逆に自分は大したことがないと思っているところが、嫁にとっては重要だったりと、家庭の中でも学びがいっぱいです。こんなふうに思ってしまう自分は、間違いなく緊張環境タイプなのかもしれません（笑）。

〈○×クイズの答え〉①× ②× ③○ ④× ⑤○ ⑥○ ⑦× ⑧○ ⑨○ ⑩×

姿勢の秘密 ⑧ 【進化編】

あなたの姿勢はどこまでも進化する
（拭い去るべき4つの幻想）

今までの人生を振り返って、あなたの姿勢はいつ頃が良い状態のピークだったでしょうか？　高校生のときでしょうか？　それとも、社会人1年目のときでしょうか？　それとも、今現在が一番良い状態でしょうか？

いずれにせよ、ここで1つ言えることは、**あなたの姿勢は今よりももっと良くなる**ということです。その方法は、もちろんこれまでに紹介してきた姿勢の秘密を実践し習慣としていくことでも可能であり、更に大事なことは、姿勢というのは、年齢とともに悪くなっていくものではなく、自分ではどうしようもないものでもないんだ、ということです。

ここで、あなたの姿勢の進化を阻む4つの幻想についてお伝えします。

まず1つ目の幻想、それは、世の中で一番多くの人が抱いている幻想です。

幻想① 年齢が年齢だから、姿勢は良くならない。

年齢のせいで姿勢は良くならないというのは、今まで本当に多くの人が抱いていた幻想です。確かに、年齢とともに身体を動かす頻度が減ったり、何かケガや病気が重なり、入院などをすることによって、一気に姿勢が悪くなってしまう人もいます。しかし、ここで大事なことは、年齢を重ねる＝姿勢が悪くなる、ということではないということです。

例を挙げれば、１００歳近いおばあちゃんが70代のおばあちゃんより姿勢が良いなんてことはザラにある話です。それはなぜなのか？　それは心がけとともに、日常的に身体を使うどのような習慣を持っているかに起因します。話を聞いてみると、その１００歳近いおばあちゃんは畑仕事もこなし、自分の身の回りのことはすべて自分でしているとのことでした。１００歳近い年齢であっても、姿勢が良くなる習慣を持つことで、姿勢と健康を保つことは可能なのです。

幻想② 病気、ケガをしたので、姿勢はよくならない。

病気をすると、多くの人がベッドの上で、数日から何か月を過ごすなどの身体的に不活動な状態を強いられるケースがあります。しかし、病気やケガの容態が落ち着けば、そこからリハビリを行っていくことが可能であり、リハビリで姿勢を段階的に良くしていくことは可能なのです。特に多いのは、医者になかなか良くならないと言われたことがある人です。「医者がそう言うっていうことは、自分はなかなか良くならないんだ」。そのように患者自身が信じ込んでしまうのです。しかし、冷静に考えてみると、リハビリが適切に受けられるコンディションであれば、姿勢を少しずつでも良くしていくことは明らかに可能であり、もう良くはなりません、などということはないのです。もちろん、ケガや病気をする前とまったく同じ状態に戻るには、個人差もあり、時間がかかるケースもあるかと思います。しかし、大事なことは、今よりも良くなっていけることは事実であり、それは少しずつであろうと積み重ねていけるという希望があるということなのです。

幻想③ 生まれつきこうなので、姿勢は良くならない。

もう1つは、生まれつきこうなので、姿勢は良くならないという幻想です。生まれつきどんな特徴があったとしても、必ず生活の中で、環境からの影響を受けて、姿勢は形作られていきます。例えば、ベッドに仰向けで寝ている時間が長ければ、背中の筋肉が固くなるなどです。つまり、生まれてきたときから備えている特徴についてはアプローチできなかったとしても、生活上の環境要因、例えば寝る時間が多いのであれば、座る時間や立つ時間を増やすなど、姿勢を良くしていくためにできることは無限にあるということなのです。

幻想④ 姿勢が次第に良くなっていくということが信じられない。

これは、実際に姿勢が短時間で良くなることを目で見たことがなかったり、自分で体験したことがないことにより起こる幻想です。なぜなら自分の周りには姿勢を良くするプロがおらず、姿勢がどんどん良くなっていくという場面に出くわしたことがないわけで、こうなると、無意識のうちに姿勢とは、なかなか良くならないと思い込んでも不思議ではありません。

これらの4つの幻想を打ち破り、姿勢は自分でコントロールしていけるし、どこまでも進化させていけると理解することができれば、加速度的にあなたの姿勢は良くなる方向へ向かっていきます。

あなた特有の幻想があるとしたら、それは何ですか？

この4つの幻想以外にも、あなたが無意識に作り出してしまっている幻想があるかもしれません。あなたの姿勢を良くするのを止めているネガティブな思い込みがあるとしたら、それは何ですか？　この機会に少し考えてみましょう。

幻想が解消できたら、もう一度考えてみましょう。

これからあなたの姿勢が、健康が、どんどん良くなっていくとしたら、それにはどれくらいの価値がありますか？

あなたの姿勢が日に日に良くなっていくとしたら、どんな未来が手に入るでしょうか？　どこかに行きたくて、でも体力もないし……と我慢していた旅行に行けることかもしれません。もしくは、新たな仕事にチャレンジすることかもしれません。もしかしたら、長くやっていなかったスポーツを再開できるかもしれません。

いずれにせよ、姿勢を良くし、健康状態を高めていくことは、何事にも代えがたいほどの価値があるということです。そして、忘れがちなのが、健康への不安がなくなることの幸せ感や充実感です。それは、深い心の平安をもたらします。自分の姿勢や健康は自分で良くしていくんだ。自分がコントロールしていくんだ。自分にはそれができる。そう思えば思うほど、将来についての健康の不安は解消され、ゆるぎない心の平安が湧き上がってきます。

今よりも身体が軽くなる未来がある（姿勢を良くする3ステップ）

本当に多くの人が、無意識にネガティブな口癖を持っています。例えば、「もう若い頃のようにはいかないな」であったり、「どんどん身体にガタがきているな」であったり、「もう年だし、そんなに動けないよ」といったようなセリフです。しかし、今よりも身体が軽くなる未来があると信じている人はそのようなセリフを言いません。彼らは、「もっとこうしたら楽にできるな」であったり、「慣れてきて、どんどんできるようになった」であったり、「最近身体の調子が良い！」であったりと、意図的にポジティブな言葉を選択し、しっかりと脳に良い刺激を送り込んでいます。

今日1日、どんなセリフを言ったでしょうか？
それはポジティブな内容でしたか？　それとも、ネガティブな内容でしたか？

あまり思い出せないようであれば、覚えていなくても結構です。ただ、これからは意図的に、身体に良い影響や思い込みを与える言葉を使ってみてください。そうした1つ1つの積み重ねが、本当に今よりも身体が軽くなる未来を作っていくのです。また、「口先だけポジティブなことを言っても、身体がついてこないよ」と言われる人もいるかもしれません。もっとも、この言葉もネガティブな言葉ですが……気持ちはわからなくもありません。なので、こう考えてください。姿勢を良くするステップがあるとしたら、次のような3ステップです。

姿勢を良くする3ステップ

ステップ①：自分の姿勢への思い込みをよくしていく（良い言葉を使う）。
ステップ②：姿勢改善の小さな成功体験を積み重ねて自信を更に強化する。
ステップ③：自己の姿勢への理解を深めながら、その都度自分に合った方法で姿勢の進化、成長を続ける。

このような3ステップです。なので、ステップ①で大切な、普段使っている言葉や口癖をポジティブに変えていくことが、一番初めに重要だということなのです。何にチャレンジする際もそうですが、まずは、できる！ という思い込みを作ることから始めます。なぜなら、最初から無理だと思ったら、チャレンジさえしないからです。「いけるんじゃないか？」「姿勢を自分でかなり良くできるんじゃないか？」と思えるから、ステップ②の姿勢改善の成功体験を積み重ねるという小さな努力ができるわけです。

何事も、意識や心意気が先だということです。

そして、ステップ②の小さな成功体験とは、本当に小さな成功でよいので、しっかりと自分を褒めてください。例えば、最初は本書を5ページ読み進めることができた！ などでも構いません。自分のことを褒め上手になればなるほど、この3ステップはうまくいきます。

最後にステップ③では、成功体験や失敗体験から、自分の姿勢の特徴や癖をどんどん理解していきます。例えば、「自分は腰が固いな」であったり、「自分は右足より左足によく体重をかける癖があるな」などです。そうした自分の姿勢の特徴に対して効果的な、ちょっとした運動やストレッチってどんなものかな？　といったように、自分で自分の姿勢を診断し、それを改善する方策を少しずつ試していくという流れです。ポイントは、無理な運動やストレッチはしないということです。そんな激しい運動やストレッチをしなくても、姿勢というのは良くなります。

今のあなたにとって、この3ステップの中で足りないのは、どの部分でしょうか？
また、できている部分は、この3ステップの中で、どの部分でしょうか？

本書の内容も、このように「自分に足りなかったところはどこか？」と「自分が既にできているところはどこか？」を確認していくと、非常に早く内容を吸収することができます。この思考法はとても大事で、次のように使うこともできます。

この本の、12の姿勢の秘密の中で、自分に必要な、自分に足りていなかった秘密はどの秘密か？　自分が知らず知らず実行できていた秘密はどの部分か？　を確認

することで、自分に足りていなかった視点というのを客観的に評価できます。

ここで1つ注意点は、「私はどの秘密も実行できていなかった……」と落ち込むのはやめてください。そうではなく、「新しいことをたくさん知ることができてよかった」とポジティブに捉えるようにしてください。そして、言葉は違えど、気付かぬうちに実行できている部分は必ずあります。

自分ができているところを見つけて褒める！

これも1つの訓練だと思って練習してください。あなたは、あなたが思っている以上に実はできています！

「そういえば、自分は意外と、自分の姿勢の癖はわかっていたな」

「自分は意外と、姿勢が良いほうだと、自分で昔から思っていたな」

といった具合です。ちょっとでもできていたら、そこはまず褒める。そのあと、

「できているぞ。よし。じゃあ、更に良くするには？」

と続け、ますます改善を加速させていく。これが秘訣です。

◉ 成長、進化のサイクルを回す（進化を楽しむ4つのアイディア）

進化、成長のサイクルを回すとは、あなたの姿勢改善の好循環を作るということです。ここまで本書で紹介してきたノウハウを1つ1つ、丁寧に実行していくことで、成長、進化のサイクルに入れます。新たに気付くことがあったり、できることが増えると、次のレベルや課題があなたを待っています。そうして階段を昇っていくように成長していく自分の姿勢の変化を楽しむこと。それが重要です。

▼姿勢の進化は楽しい。

人というのは、成長の動物であり、できなかったことがだんだんできるようになることに深い喜びを感じます。その特性を利用して、成長を大いに楽しんでしまおうというわけです。逆に、楽しくなければ続きにくくなってしまうので、成長、進化のサイクルが回らなくなってしまいます。楽しい感情とは、ガソリンのようなものなので、自分なりに楽しくする工夫というのは非常に大事です。ここでは、姿勢の進化を楽しんでいくための４つのアイディアを紹介します。

アイディア① 成功ノートを作る。

楽しむための１つのアイディアとして、成功ノートを作るというのがあります。自分が本書のノウハウや他の健康ノウハウを実践して、うまくいったときには、その成功を成功ノートに書き記しておくのです。そうして、成功体験が積み重なると、ノートにも成功体験が連なっていくので、大きな自信につながります。そして、自信をなくしそうなときにも、その成功ノートを見ることで、「そうだ。自分はこんな成功もしたんだ！　まだまだいける！」と自分を再度奮い立たせることもできるのです。

アイディア② 自分の姿勢の新たな気付きノートを作る。

姿勢の達人とは、自分の姿勢に深い自己理解を持っています。よって、どこをどの程度修正していけばよいかがわかるのです。成功ノートと同じノートで構いませんので、日々のノウハウの実践の中で、新たに自分の姿勢や身体について気付いたことがあったら、書き記していきましょう。これは自分の姿勢の自己分析につながり、書くことで記憶にも定着しやすくなり、忘れてもあとで見れば思い出すことができるため、非常に役に立つものとなります。

アイディア③ 上半身の姿勢が良くなったら、次は下半身、その逆も然り。

人の姿勢とは面白いもので、上半身の姿勢が良くなると、その分、下半身の姿勢も良くなるチャンスが生まれます。また、その逆も然りで、下半身の姿勢が整ってくると、その分、上半身の姿勢を良くするチャンスが生まれます。そのように、身体の一部分で良い結果が出たらそれを他の部位にも波及させる、という考え方が大事なのです。

アイディア④ 良くなった自分の姿勢の写真を撮る。

これも強力ですね。姿勢が良くなった自分を記録することになるので、モチベーションも高まり、姿勢への意識が高まるので、とても良い方法です。また、写真を見ることで客観的に自分の姿勢を確認できるので、姿勢の自己分析にもつながり、一石二鳥です。

ぜひこれらの方法も取り入れながら、あなたの姿勢の成長、進化のサイクルをどんどん回していってください。

姿勢の秘密
⑨

【応用編】

姿勢の世界は量ではなく質の世界

よく、「今日も何十回自主トレしました！」とか、「何キロメートル歩きました！」といった声を聞くことがあります。もちろん、それはそれで素晴らしいことに間違いありません。ですが、1つ気になることは、そのトレーニングの1回1回の質です。どういうことかと言うと、その自主トレをすることで、姿勢が良くなっている実感が持てるほど丁寧に質を追求しているか？　ということです。

この話は、初めて聞くと、ハードルが高いと感じられるかもしれません。しかし、とても大事なことで、質の高い1回の練習は質の悪い10回の練習を凌ぎます。

姿勢の世界で重要視されるのは、量よりも質なのです。

間違った姿勢で20回練習してしまうと、その間違いを20回分学習してしまいます。そうではなく、本当に質の高い良い姿勢で数回行うほうがよほど重要なのです。

「じゃあ、回数を重ねることは無意味なの？」と言われると、そうではありません。実は、順番が大事なのです。その順番とは、

①質が高い良い姿勢で

②量をこなす

という順番です。多くの人が、良い姿勢といった高い質を軽視した状態で、運動の量ばかりをこなしているのです。これでは姿勢が良くないので、量をこなしていてもいまいち良くなっている実感が湧きにくくなります。すると、これをやっていて意味があるのだろうか？　と疑問が湧き、自主トレに対するモチベーションが低下してしまうのです。

「じゃあ、どのようにして、質の高い良い姿勢を作ったらよいの？」と言われれば、秘密④の【実践編】や秘密⑥の【管理編】で紹介した姿勢調整法を丁寧に実践

することです。一言で言うと、

〇：正しく、量をこなす。

これが、非常に強力です。しかし、多くの人が、

×：ただ、量をこなす。

こうなってしまっています。もっともっと丁寧に、姿勢を意識して、質の高い調整法や運動、ストレッチを追求しましょう。

「でも、質と言っても、自分では、これで合っているか、わからないのだけれど……？」ということであれば、意識していただきたいのは、その調整法や運動をして、**姿勢が変化していく実感があるか？**

これを1つのチェックポイントとしてください。少しずつでもよいので、その調整法や運動をゆっくり行うたびに、姿勢が良くなっていく、姿勢が良い方向へ変化していくという実感。これが持てるようであれば、①の「質が高い良い姿勢で」をクリアしていると言えるでしょう。

「じゃあ、姿勢が良くなる実感が持てなかったら、どうしたらよいですか？」

そのときは、他の調整法、運動、ストレッチなどに切り替えてください。そして、「これは効いているな」という感覚を常に持ちながら行うのです。

「これ、本当に効いているのかな？」と思ってしまうトレーニングはしない！

ただし、最初は、姿勢についての専門家と一緒に、姿勢を良くしていく経験ができるのがベストです。そのときのうまくいった感覚を覚えておいて、自分1人になってても実践できるようになれば、姿勢の専門家が付きっきりになる必要はなくなります。

本書で紹介している実践アイディアは、どれも自分自身で行えるものですので、何度も読んで試していってください。姿勢が良くなる実感を持つために、お勧めの方法は、

調整法や運動を行う前に、自分の写真を撮っておくことです。

そして、調整法や運動をしたあとに、もう一度自分の姿勢の写真を撮ってみてください。そうすれば、どこがどのように変化したのか可視化できます。「背筋がピンと伸びたな」であったり、「胸がキチンと張れるようになったな」かもしれませ

ん。このように、自分の姿勢の変化を確認できるとよいでしょう。

▼質を意識しながら、量をこなし、量質転換を起こす。

量質転換という言葉を聞いたことがある人は多いと思います。量をこなすことで、質が高まっていくという意味ですが、今回はあえて量よりも、その1回1回の質を大事にしましょうとお伝えしました。

しかしながら、本書で紹介している様々なアイディアも、何度も何度も繰り返すことによって、次第に質が高まり、姿勢が良くなる変化が実感できるようになるということもあるかと思います。

質を意識しながら、量をこなし続けることで、更に質が高まっていきます。こうした好循環を起こすことができれば、みるみるあなたの姿勢は良くなっていくことでしょう。

いろんな状況で役に立つ良い姿勢17の利点

ここでは、応用編ということで、良い姿勢が役立ついろんな状況を見ていきましょう。

①仕事でお客様に対して見栄えが良くなる。

詳しくは秘密⑩の【お金編】で紹介しますが、姿勢が良くなると、仕事でのあなたの見栄えが変わります。「なんだか最近、雰囲気が変わりましたね！」と言ってもらえるかもしれませんね。

②家事が楽になる。

姿勢が悪い状態だと、長時間立っているのも大変になるので、家事をするのにも大変ですが、姿勢が良くなると、家事をするのも楽になります。

③家族や友人に褒められる。

あなたの姿勢が良くなると、あなたの一番近しい人間関係である家族や友人が、真っ先にあなたの変化に気付き、影響を受けます。「姿勢が良くなったね！」と褒められることは嬉しいものです。

④冠婚葬祭など人前に出るときに、見栄えが良くなる。

冠婚葬祭などは、あなたの姿勢がたくさんの人の目に触れる機会になります。もしかしたら、久しぶりに会う人もいるかもしれません。そんなとき、あなたの姿勢が良いと、彼らの目にもとても見栄えが良く映ります。

⑤異性にモテる。

姿勢が良くなると、見栄えが良くなり、落ち着きと自信が感じられるため、異性からもモテやすくなります。

⑥誰かの助けに入れる。

時には誰かの重い荷物を持ってあげたり、電車などで席を譲ってあげたりといった、誰かの助けに入れるときがあるでしょう。それは、あなたの姿勢が良いからこそ、余裕を持って誰かを助けてあげられるのです。

⑦疲れにくいため、家族サービスの質が上がる。

家族がいる方であれば、自分の姿勢が良いと身体が疲れにくくなっているため、家族サービスの質が上がります。身体が重いとか、関節が痛いということがない軽い身体は心も軽くしてくれるのです。

⑧自分の望む仕事を任される。

姿勢が良く、バイタリティ溢れる動きをしていると、職場の上司からも認められ、自分の望む仕事を任せてもらえる確率が高まります。

⑨姿勢や健康について、アドバイスを求められる。

あなたの姿勢が良くなってどんどん健康的でエネルギッシュになっていくと、あなたの周囲の人たちから、姿勢や健康についてアドバイスを求められるようになります。

⑩自尊心が湧き、毎日が楽しくなる。

姿勢が良い自分のことを自然と好きになることができ、自尊心が高まります。そうすると、毎日を楽しく充実して過ごすことができるようになるのです。

⑪ここ一番！　というときに最高の成果が出る。

仕事での大事なプレゼンテーションだったり、想いを寄せている異性への告白だったり、習い事の発表会だったり、ここ一番！　というときに、良い姿勢でいることは最高のパフォーマンスを生み出してくれます。

⑫良い姿勢でいると心にゆとりが持て、喧嘩をしなくなる。

良い姿勢でいるだけで、心に大きなゆとりが持てます。すると、ちょっとやそっとのことでは腹が立たなくなります。そして、喧嘩をすることがほとんどなくなっていくでしょう。

⑬良い姿勢になると新しいチャレンジがしたくなる。

良い姿勢になると、心身ともにエネルギーが湧いてくるため、何か新しいことにチャレンジしたくなります。そうした新しいことへのチャレンジは人生をより豊かにしていきます。

⑭後輩や部下から尊敬される。

良い姿勢とは尊敬の対象となることが多く、特に後輩がいたり、部下がいた場合、良い姿勢を保っていることは尊敬されやすくなります。良い姿勢からは、それだけで自己管理能力の高さがうかがえるからです。

⑮気分が落ち込みにくくなる。

良い姿勢でいるだけで、気分が良い状態となるため、落ち込みにくくなります。性格が前向きになると言っても過言ではありません。逆に気分が落ち込んでいるときは、今一度姿勢を正してみてください。そうすると、気分もだんだん良くなっていきます。

⑯リラックスすることが上手になる。

良い姿勢になるとは、自分の身体を丁寧に扱うことと同義です。そのため、自分の身体を大切に扱うようになり、リラックスすることに関しても意識が高まり、リラックス上手になっていくでしょう。

⑰夢を追いかけるエネルギーが湧く。

なかには、健康を害したことで、夢をあきらめていた人もいるかもしれません。しかし、姿勢が良くなり、どんどん健康的になっていったら、もう一度、夢を追いかけるエネルギーややる気、パワーが湧いてくるかもしれません。そして、夢を追いかけるにあたっても、良い姿勢というのは、とても心強い味方となってくれるのです。

良い姿勢があなたをケガや病気から守る！　6つの効能

良い姿勢となることの真髄とは、実はこの項目ではないかと思うくらい、非常に重要なポイントです。姿勢が良くなると、疲れにくくなりますし、良い気分で毎日を過ごしやすくなります。それだけでも嬉しいことですが、実は姿勢を良くするだけで、ケガをしづらくなり、病気にも罹りにくくなるのです。

効能① 転倒防止効果。

ケガをしにくくなる一番の理由はと言えば、この転倒防止効果です。良い姿勢になると、立っているときのバランス能力が上がりますので、転びにくくなるのです。それだけではありません。姿勢が良いということは、運動神経や反射神経も良くなっていますので、もし、転んでしまうことがあったとしても、受け身の姿勢を取りやすくなるのです。

効能② 受け身が取れる。

転倒して骨折してしまう原因として、この受け身が取れないというのも大きな要素となっています。姿勢が良いと、いざ転びそうになったときに、瞬時に手が出たり、衝撃を和らげるように身体を動かして、ショックを最小限に抑えることもできるようになるので、これだけでもケガをする確率はグンと下がるのです。

良い姿勢とは、あなたを病気からも守ります。良い姿勢でいるだけで、あなたの全身の筋肉は適切に働き、良い血液循環をもたらします。

効能③ 良い血液循環。

姿勢の悪い人は、身体の奥に位置する、関節などを安定させる筋肉であるインナーマッスルがうまく働いていません。すると、血液循環も悪くなり、心臓や血管には余分なストレスが強いられます。

心臓や血管へのストレスは高血圧につながり、そこから心疾患や脳卒中など、恐ろしい病気に発展する危険をはらんでいます。

効能④ 良い姿勢が及ぼすリラックス効果が高血圧を予防する。

良い姿勢になると、急に身体に力を入れたり、無理に踏ん張るといった動作が減り、楽に立ったり歩いたりできるようになりますので、心臓が頑張って血液を送り出す必要性がなくなり、血管にも大きなストレスを与えずに済むようになります。

血液循環が良くなると身体がポカポカし、熱を持つことによって、身体の免疫力も高めてくれます。

効能⑤　良い姿勢は深部の筋肉を使い、熱を産生して免疫力を高める。

風邪を引くなど病気にかかると熱が出ますが、あれは、熱を上げることによって、ウイルスを撃退しているわけです。自分の身体の筋肉が隅々まで働くことができれば、良い血液循環とともに効率的な熱の産生を促すため、ウイルスに対する抵抗力は飛躍的に高まります。

効能⑥　便秘にも良い？　良い姿勢の隠れた効能。

更には、良い姿勢となると、腹筋が上手に働くため、お腹が引き締まり、腸が適切な位置に戻りやすくなります。そして、腹筋が効率良く働くため、便通も良くなり、腸の活動が促され、便秘の解消につながります。最近では腸内環境を整えることが、免疫力を高めるのに大事だと言われてきていますが、良い姿勢というのは腸の活動も促してくれる最高の味方となるのです。

▼健康の最強の味方。

良い姿勢になるのは見栄えが良くなるのがメインだと思っていたら、大間違いです。それだけではなく、あなたの健康をこれから先長い間守っていく最強の味方となってくれるのが、この良い姿勢なのです。良い姿勢となることは、それだけで、自分の身体の健康度が高まっている。そのような意識を持って、ぜひどんどん姿勢を良くしていきましょう。

姿勢の秘密⑩【お金編】

良い姿勢がお金を引き寄せる3つの理由

良い姿勢やエネルギッシュで健康的な身体というのは、実は、お金を引き寄せるパワーを持っています。一見、姿勢とお金とは、直接関係のないように思われるかもしれません。しかし、本当はとても密接に絡み合っているのです。

実際に、あの人はお金持ちだとあなたが思う人を、一度思い浮かべてみてください。その人は姿勢が良いのではないでしょうか？

では、それがなぜなのか？　まずは3つの理由を見ていきましょう。

理由① 仕事において集中力が高まる。

良い姿勢で仕事をするということは、良い態度で仕事をすることと同義です。逆に、悪い姿勢で仕事をするということは、悪い態度で仕事をすることと同義になります。どちらのほうが目の前の仕事に集中でき、深く貢献できるかと言えば、やはり前者ではないでしょうか？

つまり、良い姿勢で仕事をするとは、ハイパフォーマンスを出せるということになるのです。ハイパフォーマンスの仕事をする人には、お金であったり、周囲からの信頼であったり、新しい仕事を任されるといった様々な報酬を引き寄せることができます。

理由② 仕事で困難に対処できる。

良い姿勢で仕事をするというのは、たとえ仕事上で困難な状況に出くわしたとしても、それに対応していけるパワーや余裕があります。前述したように、集中力も高まっているため、「これは無理だ！」と安易にあきらめたりせず、「どうしたらそれができるか？」という健全な考え方で困難に立ち向かうことができるのです。困難に対応できる人と対応できない人とでは、得られる報酬も変わってくることでしょう。

理由③ 仕事に自信を持って取り組める。

良い姿勢というのはそれだけで自信が湧いてきます。良い姿勢でいるだけで気分は良くなり、自分のことも好きになります。そのような、自分に対して自信を持っている状態で仕事に取り組めば、どうなるでしょうか？

前述したように、集中力も高まっており、仕事上で困難な状況に出くわしたとしても、対処していける自分を経験することによって、仕事に対して自信が生まれてきます。自分に対する自信と仕事に対する自信を持っている人は、間違いなくハイパフォーマンスの仕事をします。そんなハイパフォーマンスの仕事を続けるあなたを上司が放っておくはずがありません。それ相応のポストや報酬が得られるようになるのも時間の問題になるのです。

このように、姿勢を良くすることや、エネルギッシュな健康体を持つことは、収入やお金に直結するほど価値があることと言えるのです。

▼良い姿勢は周囲の人に良い影響を与える。

良い姿勢とは、それだけで周囲の人に良い影響を与えるという話を、秘密⑤の【伝達編】で詳しくお伝えしましたが、それは、あなたが仕事で関わるお客様や職場の同僚に対しても同じことが言えます。仕事場であなたが良い姿勢でいることは、あなたの存在感を高め、あなたの集中力や困難に立ち向かう余裕や自信を誰かのために使うことができるのです。

それを一言で言ってしまうと、

良い姿勢＝貢献です。

あなたが良い姿勢であればあるほど、仕事で人の役に立つことができ、貢献できます。良い姿勢とは、何も、自分の健康のためだけに作るものではありません。

あなたが今以上に周囲の人に貢献できる人間になるためにも、良い姿勢を作ることは重要なのです。

誰かのためになるのなら……と思うと、更に自分を律することができる人もいると思います。そのような人はぜひ次の3つの標語を覚えておいてください。

仕事と姿勢の3つの標語

標語①：あなたの姿勢が良くなると、あなたの周囲の人たちへの貢献になります。

標語②：あなたの姿勢が良くなると、あなたの周囲の人たちの救いとなります。

標語③：あなたがあなたらしく輝くことで、あなたに関わる全員がハッピーになります。

相手に喜びを与える姿勢

良い姿勢を作るというのは、自分のエネルギーを高めることであり、高まったエネルギーを使って周囲に貢献することを指します。それは周囲に貢献する態度と言い換えることもできます。相手に喜びを与える姿勢、態度とはどのようなものか、このようなことを考えるだけでも、実は姿勢というのは良くなっていくものなのです。

▼姿勢って、どうして大事？

改めて、このように聞かれたときに、「あなたの健康に良いからですよ！」という理由もありますが、「あなたの周りの人に貢献できるからですよ！」と答えるのが非常にしっくりきます。人は何か人の役に立てたときに喜びを感じる動物であって、仕事上において、人に貢献するには、まず自分が元気な健康体を持っていることが大前提となってくるからです。

仕事で目の前の人の役に立つことを、喜びと感じることができたら、あなたのお金の引き寄せ力はどんどん高まっていくことでしょう。

▼良い姿勢＝与え上手。

もう1つ重要なポイントを紹介します。それは、良い姿勢を持っていると、与え上手になるということです。それはどういうことかと言うと、相手が困っていたり、悩んでいたりすることに気付きやすくなるからです。それはなぜなのか？　逆を考えてもらうとわかりやすいと思います。例えば、あなたが肩こりが痛くて、身体をあまり動かしたくないとき、周囲の人たちの様子に敏感になれるでしょうか？

おそらく周囲の人たちの様子どころではなく、肩こりの痛みのことで頭がいっぱいになっているのではないでしょうか？

つまり、良い姿勢を取れているということは、自分の身体の痛みや不調を気にすることなく、周囲に気を配ることができるということなのです。

そのため、周囲の人が何か困っていたらすぐに気付くことができ、助けてあげる

ことが容易になります。つまり、与えるのが上手になるのです。

▼相手の姿勢の不調に気付く。

また、自分の姿勢が良い状態だと、相手の姿勢の不調に気付きやすくなります。姿勢が項垂れていたり、疲れていそうなとき、すぐに気付けるようになります。何事もそうですが、自分の調子が良ければ周囲の人をよく観察したり気を配る余裕が生まれるということなのです。そして、姿勢のことで何か困っている人がいたとしたら、あなたの体験談などで、相手の助けになってあげられるかもしれません。

▼悪い姿勢が相手に与える印象。

ここでは逆に、悪い姿勢が相手にどんな印象を与えてしまうかについて紹介します。姿勢＝態度ということを前述しましたが、あなたが例えば腰痛持ちであり、姿勢が悪かったとしても、仕事で初めて会うお客様にはそんなことはわかりません。縮こまった姿勢でいると、それだけで、相手にとっては自信のない態度のように映ってしまうのです。また、開き直って姿勢が悪いことを説明したとしても、それはそれで、自己管理能力の低さを露呈してしまいます。もし、責任のある仕事を任されるタイミングであれば、「この人に任せて大丈夫かな？」と思われても仕方ありません。前述した通り、姿勢とは雄弁なものであり、姿勢とは日頃の生活態度が現れるものとも言える、非常に恐ろしいものなのです。だからこそ、逆に良い姿勢を身につけていけば、お客様に対する信頼感を飛躍的に高めることも可能なのです。ぜひ良い姿勢を意識して、仕事に取り組んでいってください。

仕事に対する姿勢の効力

これまでにも様々な仕事に対する姿勢の効力を見てきましたが、また1つ大きな姿勢の効力について説明します。それは、人というのは映像で物事を記憶しやすいということです。

つまり、あなたが仕事で何を言ったかとか、どんな感情で言ったかとか以上に、あなたの態度、姿勢がどのようなものであったかが、記憶によく残るのです。あなたが仕事をするたびに、あなたの態度や姿勢が、お客様や同僚、上司、部下の記憶に残っていくのです。

だとすれば、あなたの姿勢や態度が良くなればなるほど、あなたが仕事で接するお客様にも、同僚にも、上司にも、部下にも、良い記憶を残していけるということがおわかりになるでしょうか？

▼あなたの姿勢は多くの人の記憶に残っている。

こう表現すると、いかにも見られているような気がしてちょっと嫌かもしれません。しかし、どうせ見られるのだったら、良い姿勢を見られるほうがよいと思いませんか？　特に上司が、仕事に対するあなたの良い姿勢や態度、そこから生み出されるハイパフォーマンスを評価してくれれば、昇進や収入アップも夢ではありません。

あなたが仕事に対して良い姿勢、良い態度で取り組めば取り組むほど、同僚や部下もあなたのことを信頼し、何よりお客様があなたの働きに一番喜んでくれるようになるのです。

▼新たなスキルアップにチャレンジできる。

また、良い姿勢になってエネルギーが湧いてくると、新しい仕事や収入につながりそうなスキルを勉強する意欲も湧きやすくなるため、自分の職能を磨いたり、新たな領域にチャレンジしていく健全な思考も生まれやすくなります。結果としてあなたの職業人としての幅が広がり、そのことで収入の柱が新たにできる可能性も高まります。

▼あなたの理想とする人に会いに行く。

もし、今の仕事よりもやりたい仕事があるけれど、勇気が出ずにあきらめているということであれば、あなたが理想とする仕事を既にしている人に会いに行ってみるのも1つです。良い姿勢を作りエネルギーが湧いてくると、実際に理想の職業で活躍している人に会いに行くエネルギーも湧いてくるものです。もしかしたら、あなたが理想としている仕事は、既にその仕事で活躍している人から直接話を聞けば、あなたが思っているよりもハードルが高くないかもしれません。また、逆に、今の職場で技能を磨くことが大事だと改めて気付くことになるかもしれません。

▼姿勢が良くなると直感が働きやすくなる。

姿勢が良くなると直感も働きやすくなります。なぜだかわからないけれど行ってみたい！　と思える勉強会や仕事の情報を見つけたら迷わず行ってみるのも大事です。あなたの収入はあなたの能力が最大限生かされる環境で花開きます。その環境を見つけるために、日頃からアンテナを張っておくことも、非常に大事なポイントと言えるでしょう。

▼あなたの仕事のうまくいったところを振り返り、積み重ね、進化させる。

仕事に関しても姿勢に関しても同様に言えることは、基本的な考え方は一緒であるということです。どういうことかと言うと、うまくいったことを振り返り、なぜうまくいったのかを分析して理解し、更に良くして磨いていくということです。これは、失敗したときも同じです。仕事にせよ、姿勢にせよ、もし失敗したなと思ったら、なぜ失敗したかを分析し、理解し、改善を図り、成長させる。この繰り返しによって、姿勢も仕事も、クオリティの高いものが少しずつ出来上がっていくことでしょう。

ここまでお金や仕事と姿勢との関係を紹介してきましたが、最後に大事なことを一言で言うと、

良い姿勢は豊かさにつながる。

この言葉をぜひ覚えて、良い姿勢とともにお金をどんどん引き寄せていってください。

姿勢の秘密 ⑪ 【介護編】

楽々介護の3ステップと6つの特徴

このパートでは、姿勢を良くすることと介護との関わりというテーマを詳しく見ていきます。

ここまで読んでいただけたのであれば、本書の内容が、介護という領域においても強力な武器になるということがわかっていただけるのではないでしょうか？

キーワードは、介護する方もされる方も、お互いに楽な介護。

名付けて、楽々介護です。それを実現する3ステップを紹介します。

ステップ①　まず、あなたの姿勢を良くする。

介護する側が腰痛を起こしたり、肩こりを起こしたりするようでは本末転倒です。まずは介護する前に、いかに介護する側が良い姿勢を作れているかを意識していく必要があります。あなたの姿勢を良くする方法は本書のここまでの内容に散りばめていますので、ぜひ熟読して実践していってください。

ステップ②　介護で動かす前に、相手の姿勢を整える。

このステップ②を見なくても、これだとわかった人は、本書の内容をよく理解できている人です。動かす前に、姿勢が整っているか？　これを確認してみて、動かす前に良い姿勢になっていればなっているほど、その後の介護は楽になりますので最重要です。

ステップ③　お互いに良い姿勢を保ちながら介護を行う。

この、お互いに良い姿勢を保ちながら、というのがミソで、介護する側かされる側か、どちらかの姿勢が崩れると、負担が大きくなります。ステップ①では自分の姿勢を良くする。ステップ②では相手の姿勢を良くする。ステップ③ではお互いに良い姿勢を保ちながら介護を行う。このようなステップとなります。

口で言うのは簡単ですが、実際にやってみると、特に介護側の姿勢が崩れやすいケースが多いのです。ステップ①が十分でないわけですね。しっかり介護する側の姿勢を整えてから行うようにしてください。これだけでも、介護の負担は激減するでしょう。

そして、ただ、介護をするだけではなく、介護という関わりを通じて、相手の姿勢がもっと良くならないだろうか？　と考えてみてください。ここでは、姿勢を良くする介護の特徴を紹介します。

▼姿勢を良くする介護の特徴

特徴①　相手の最大能力を発揮できている。

その介護を通じて、相手が最大能力を発揮できていればいるほど、その介護後の相手の姿勢は良くなります。なぜならば、普段使っていない筋肉を使うことになり、姿勢が起きやすくなるからです。

特徴② 相手に無理をさせていない。

最大能力を使わせようと思って、相手に無理をさせてはいけません。無理をさせると、姿勢が良くなるどころか、疲れて姿勢が悪くなってしまいます。相手に無理をさせすぎない程度に、介護する側がサポートしていく必要があります。

特徴③ 自分も無理をしない。

サポートすると言っても、あなたが無理をしてはいけません。あなたが無理をする介護は楽々介護とは言えません。楽々介護とは、お互いが楽に感じる介護です。

特徴④ 無理に動かそうとしない。

無理に動かそうとしてはいけません。無理に動かすのではなく、動きやすくなる方向へ誘導するイメージです。

特徴⑤ 自分と相手の重心を近づける。

重心ってどこにあるの？　と言われる方のために申しますが、重心とはおへその辺りだと思ってください。

相手と一緒に自分が動くというイメージです。決して無理に引っ張ったり、押したりするものではありません。

特徴⑥ 相手に恐がらせない。

相手が恐がっていたら、最大能力も発揮できないので、その介護はうまくありません。相手に恐怖を与えず、お互いに気持ちのよい介護を行うことを心がけましょう。

次は、介護上手な人の共通点を紹介していきましょう。

介護上手の3つの共通点と7つの秘策

共通点①　相手の動きがメインで、自分はあくまでもサポートだと思っている。

基本は相手が動くことがメインであると理解していて、自分はあくまでもサポートであると思っています。そのため、無理に引っ張ったり、押したりといったことをしません。

共通点②　相手の今日の調子といった、相手の状態を熟知している。

相手が今、調子が良いのか？　悪いのか？　どんな表情なのか？　など、相手の今の状態をよく観察し、理解している状態です。調子が悪いときに、調子が良いときの動きを求めるのは無理があります。それを事前に把握しておく必要があります。

共通点③　相手が助けてほしいところのみを助ける。

1つ注意点として、自分で靴を履ける人が、甘えて、「靴を履かせて」と言うのは少し違います。そうではなく、本当にその人が1人では行えない部分、本当に助けなければならないところを助けるのです。

介護上手な人はこのような共通点を持っています。ここまでの内容で、ぜひ取り入れたい！　と思ったのは、どの部分でしょうか？

ここまでの内容を実践する習慣を持つだけでも、かなり介護は楽になると思います。

今回なぜ、姿勢の本の中で介護というテーマを取り上げようと思ったかというと、今の時代、老老介護と言われるほど、介護される側だけでなく、介護する側の人も、姿勢の問題を持つようになってきているからなのです。

介護する家族がいる人にこそ、この姿勢の重要性を知ってほしい。そして、楽々介護を実現してほしい。そんな想いで、介護というテーマを盛り込みました。

本書の内容を実践し、介護ってこんなに楽なんだ！　ということを感じていただきたいのです。なぜならば、多くの介護する側が、無理をして介護をしている現状があるからです。

姿勢を意識したら、もっと楽にできるのに！

これが正直な気持ちです。ぜひ、介護する側も、される側も、気持ちの良い介護を実現していってください。

▼介護疲れって、どこから来るの？

ここでは、介護疲れというものが、一体どこから来るのか？　ということについて解説していきます。

「介護疲れって……それは介護している肉体労働から来ているんじゃないの？」と思われるようであれば、介護疲れの恐ろしさに気付いていません。

介護疲れとは、介護している人と介護されている人との○○の悪化から強く生まれるのです。

その○○とは何か？　それは、

人間関係です。

つまり、介護する側とされる側の人間関係が悪化すると、介護疲れが大きくなるということなのです。考えてみれば当たり前のことかもしれませんが、自分と良い人間関係ができている人の介護と、人間関係がうまくいっていない人の介護では、天と地ほどの差があります。つまり、真の介護疲れを解消していくためには、介護する側とされる側の人間関係を良好に保っていく必要があるのです。そうでなければ、介護する側もされる側も、お互いにストレスを感じてしまいます。

「言っていることはわかりました。でも、どうしても腹が立つときはどうしたらよいですか？」

そんな時もあるかと思います。ここでは、そんな時に効果的な7つの秘策をまとめましたので、ぜひ参考にしてください。

▼介護疲れ撃退！　7つの秘策

秘策①　思いっきり休む。

介護する側であるあなたの怒りが爆発しそうであるということは、あなたは自分でも気付かないほど、相当疲れてしまっている可能性があります。そんなときの秘策は、単純ですが思いっきり休むことです！「休む暇なんかないです！」という人も、ちょっと聞いてください。あなたが無理をして、もしあなたが倒れてしまったら。これが一番悲しい結末です。

そうならないためにも、まずは自分を大切にし、なんとか休むという時間を確保してください。介護疲れを起こす方は優しい方が多く、つい自分に無理をして相手を優先しようとして苦しんでしまいます。本書でも何度も述べていますが、まずはあなた自身を大切に扱ってください。

秘策②　知識を吸収する。

休みが取れて、少し怒りが収まったら、今度は自分が今必要とする知識を吸収することを意識してみましょう。もっとお互いが気持ち良く介護できるためには、どうしたらベストなのか？　これを考えながら必要に応じて知識を吸収するのです。無論、本書のノウハウを取り入れることは効果てきめんです。

秘策③ 開かれた考え方を持つ。

本書の内容を含め、様々な知識を吸収すると、「そうは言っても……」という、自分のケースには当てはまらないんじゃないか、といった感情が出てくるかもしれません。しかし、吸収した知識の中に、「これは今度意識してやってみよう」と1つでも思えるものがあったとしたら立派な進歩なのです。開かれた考え方を持つとは、新たなアイディアを試すということなのです。それがきっかけとなって、また新しい発見があるかもしれません。

秘策④ 楽しみ上手になる。

当たり前のことかもしれませんが、介護を楽しめるようになったら、介護疲れを感じることは少なくなります。つまり、自分が楽しめる工夫というものを取り入れていけば、ストレスはグッと減るということです。例えば、介護でお互いに楽に動けたら一緒に喜んだり、少しずつ容態が良くなっていれば、お互いにそれを喜ぶのもよいでしょう。

秘策⑤ 自分をうんと大切にする。

いついかなるときも、自分をうんと大切にすることを忘れないでください。自分を大切にできない人に目の前の相手を大切にすることはできません。疲れてきたな……と思ったら、自分を優先し、しっかり休養を取ってください。

秘策⑥ 相手の立場になる想像力を鍛える。

自分の事をうんと大切にできてくると、エネルギーが湧いてきますから、相手の立場になるという想像力を深めることができます。自分に余裕があればあるほど、相手の立場を想像する力が湧いてくるので、調子が良いときは、相手の立場をシミュレーションして、相手が普段、どのように感じているかを想像し、共感してみてください。

秘策⑦ 一緒に幸せな空間を作っていく。

最後の秘策は、究極の目的とも言えるものです。それは、一緒に幸せな空間を作っていくこと。これがすべての目的であり、ゴールでもあり、目指すべきところです。これを実行できれば、介護疲れなど感じないほど、満たされた気持ちで介護ができるでしょう。

もしそれが難しいようであれば、秘策の①から⑥を今一度実行し、少しずつでよいので、お互いが幸せとなる空間を作っていってください。

姿勢の秘密⑫

【育成編】

子供の姿勢を良くする5つの秘訣

子供の姿勢を良くしたいのです！　という希望を持つ親は多いのではないかと思います。ここでは、最後の秘密として、子供の姿勢を良くする方法について紹介していきます。

▼子供の姿勢を良くする5つの秘訣

秘訣① 親が手本を見せる。

これが一番大事なことです。子供というのは、親の背中を見て育ちます。親の姿勢が良ければ、知らず知らずのうちに、子供も真似をするようになっていくのです。なので、子供がいる親は、自分の姿勢が子供にも影響していると考えてみてください。そうすると、更に良い姿勢を作るモチベーションが強化されるのではないでしょうか？

秘訣② 褒めて伸ばす。

子供に対して、非常に効果的なのは、この褒めて伸ばすという方法です。親から褒められることによって、子供はやる気を持って物事に取り組みます。逆に怒られてばかりいると、無気力になってしまったり、極端に反抗的になってしまいます。できているところを見つけたら、褒める！　どんどん褒めてあげてください。

秘訣③ 環境を整える。

例えば、運動不足のせいで、身体の筋力が弱いということであれば、公園に連れて行くなどして、身体を動かしやすい環境を意図的に作ります。親は自分の子供に環境を整えてあげられる存在であり、良い環境設定によって、子供の良い姿勢や態度を育てていくことができるでしょう。

秘訣④ なぜできたのか？ を聞く。

何かうまくできたときに、「良くできたね！」と褒めることも大事ですが、一歩進んで、なぜできたかを聞いてあげることも大事です。「なぜできたの？」と聞かれて、その理由を話してくれたら、また褒めてあげる。そうすることで更に子供に自信がつきます。

逆に、してはいけないのは、「なぜできないの？」と怒ってしまうことです。これをしてしまうと、なぜできないのか？ を考えてしまうため、自信をなくし、落ち込んでしまいます。

そうではなく、「すごいね！ どうしてできたの？」と、できた理由を聞いてあげるようにしてください。

秘訣⑤ 何か特別なことをしなくても褒める。

「え？　何もしていないのに褒めるんですか？」という疑問が湧いてきそうですが、これは非常に大事なことです。なぜならば、何か成功したときだけ褒めていると、次第に、何かうまくいかなきゃ自分は褒められないんだ……という思い込みを形成してしまうからなのです。

例を挙げると、誕生日などは、何か特別なことをしていなかったとしても、お祝いをしますよね？　それと同じで、何か特別なことがなくても、今日も1日元気に過ごしてくれたことだけでも、ありがとうと言ってあげられたら、子供の自信はどんどんついていくでしょう。

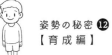

ここまでのまとめ・復習クイズ レベル3

ついにここまで来ました。お疲れ様です！　最後は、ちょっぴり上級者向けの応用編として、⑧【進化】、⑨【応用】、⑩【お金】、⑪【介護】、⑫【育成】の各編によって、日常生活の中でどのように姿勢を良くしながら望み通りの結果を得ていくかについて、ケースバイケースで事例を踏まえて紹介してきました。

姿勢というのはどこまでも進化していくということや、それを阻む4つの幻想や、姿勢の世界では質が重視されるという話や、良い姿勢が様々な状況で役に立つということもお伝えしました。また、良い姿勢とお金、仕事との結びつきや、介護疲れの撃退法、最後に子供の姿勢を良くする秘訣も公開しました。

それでは、ここまでの内容をしっかり理解できているか、最後のクイズに入っていこうと思います！

〈○×クイズ〉

それぞれ○か×か？

① 姿勢は、年を重ねるとなかなか良くならない。 □

② 姿勢は、ポジティブな言葉を使うと、どんどん良くなる。 □

③ 良い姿勢を作るには、運動の質よりも量が大事だ。 □

④ 良い姿勢は、仕事においての集中力を高めてくれる。 □

⑤ 良い姿勢は豊かさを作る。 □

⑥ 介護疲れをなくすには、自分を大切にするとよい。 □

⑦ 楽々介護の秘訣は、まず自分の姿勢を整えること。 □

⑧ 子供を褒めるのは、良いことをしたときだけだ。 □

⑨ 姿勢とはいつでも、どこからでも変えられる。 □

⑩ ここまで読み進められた自分自身を褒めてあげたい。 □

答えは次のページ

ほっと一息 コラム3

外食 編

最後のコラムになりました。またまた個人的な話ですが、僕は嫁と息子と一緒にたまに外食をします。そのときに、メニュー表からどれを食べるか選ぶと、「またそれを食べるの?」と嫁に言われます（笑）。どうやら、好きな食べ物ができると、何度も同じものを食べてしまうところがあるようです。でも、同じ品を注文していても、不思議と飽きないんですね。好きなものは何度でも食べられてしまうということでしょうか?

「同じものばっかり食べていると、栄養が偏って、健康に良くないですよ!」と言われてしまいそうですが、食べているときは、とても幸せなので、心の栄養にはなっている、ということにはならないでしょうか?（笑）

〈○×クイズの答え〉①× ②○ ③× ④○ ⑤○ ⑥○ ⑦○ ⑧× ⑨○ ⑩○!

エピローグ――あなたの姿勢はどこからだって変えられる

今の世の中、健康に関わる本がたくさんある中、本書を手に取り、最後まで読んでいただき、本当にありがとうございました！　本書は読めば読むほど姿勢が良くなるように設計されており、何度も読むことで、より効果を発揮します。本書の内容を着実に実践していくと最終的には【私は１００歳になっても走れる！】と信じられるレベルまで良い考え方が身につきます。そうなった時、あなたは今までのネガティブ姿勢に二度と戻ることはありません。あなたがあなたらしく輝く、ポジティブ姿勢を本書を片手に、楽しく作っていって下さい。

ここで個人的なメッセージをさせてください。自分を産んで、泣き虫で甘えん坊だった自分を愛情いっぱいに育ててくれたお母さん、家族のために一生懸命働いてきてくれたお父さん、今も親友のように仲の良いお姉ちゃん、そして今の私をずっと支えてくれている嫁や可愛い5歳の息子、家族達皆に心から感謝を述べたいと思います。本当にありがとうございます。そして今まで自分に関わってきてくれたたくさんの方々に感謝します。最後に今回、ゼロからこの本の完成のために、編集やプロモーションを含めたプロデュースを手掛けていただいたClover出版の皆様方には、感謝してもしきれません。特に一から面倒を見ていただいた編集主任の阿部由紀子様、本書の完成に心から尽力していただき、本当にありがとうございました。

世の中の1人でも多くの人が本書に触れ、これから良い姿勢を作っていっていただけたなら、これ以上の喜びはありません。

最後にここまで読んでいただいたあなたに1つだけメッセージを送らせてくださ い。あなたの姿勢はどこからでも、いつからでも変えられます！　ぜひ良い姿勢を手にし、幸せで豊かな人生を作っていってください！

ここまでお付き合いいただいて、本当にありがとうございました！

奥村　亮

【著者略歴】

奥村 亮（おくむら・りょう）

理学療法士
三重県松阪市生まれ。
趣味は読書と家族旅行。

幼い頃から極度の不安症〔今でいうHSP〕で、周囲の環境に敏感な幼少期を送る。

祖父母の介護に苦しんだ母の姿を目の当たりにし、リハビリのプロの世界へ飛び込む。

社会人となり、県内の総合病院にて脳血管障害による片麻痺といった中枢神経疾患の患者様から、骨折といった整形外科疾患、病気や怪我の受傷から何年も経った筋肉や関節が固くなってしまっている慢性期の患者様など、幅広い病態のリハビリテーションを経験し、更に子供の訪問リハビリにも携わる。

その中で多くの人が見過ごしている姿勢の奥深さ、大切さとその影響力に気づき、体と心の姿勢改善に特化した独自のアプローチを行うようになる。

その結果、現在では0歳から104歳までの様々な病態を持つ老若男女の姿勢パターンの改善を10年で、20,000件以上達成する。

2019年の夏、日本全国から集まった多種多様の業種のプロたちが競うカリスマ講師×出版オーディションにて、【これからの人生100年時代に必要な姿勢の概念】のプレゼンテーションを行い、準グランプリを受賞し、業界で一握りと言われる商業出版に至る。理学療法士としては、最年少で商業出版を達成。現在は在宅訪問でのリハビリテーションを子供から大人まで幅広く行っている。

本書で伝えたいメッセージは、【あなたの人生は姿勢で変わる!】

何も良い所のなかった私が変われた様に…

モテる姿勢養成大学

https://www.youtube.com/channel/UCl1mGz46Vx_3zrRQgLqp9uA

モテる姿勢養成講座

あなた史上最高の豊かさを引き寄せる
3カ月のオンラインプログラム
(2023年12月まで)
https://make-fun.com/landing_pages/104

装　丁／横田和巳（光雅）
イラストレーション／滝本亜矢
制　作／（有）アミークス
校正協力／新名哲明・伊能朋子
編　集／阿部由紀子

ポジティブ姿勢とネガティブ姿勢

リハビリのプロが明かす、人生が変わる姿勢の直しかた

初版１刷発行 ● 2020年11月19日

著者

奥村《おくむら》　亮《りょう》

発行者

小田 実紀

発行所

株式会社Clover出版

〒162-0843 東京都新宿区市谷田町3-6 THE GATE ICHIGAYA 10階　Tel.03(6279)1912　Fax.03(6279)1913
http://cloverpub.jp

印刷所

日経印刷株式会社

ISBN978-4-908033-99-5　C0077

本書の内容に関するお問い合わせは、info@cloverpub.jp宛にメールでお願い申し上げます